# Sauvée par un Ext

***Dévoile des secrets captivants dans une romance de science-fiction palpitante***

Monica Martin

***

Impression et distribution : tredition GmbH, An der Strusbek 10, 22926 Ahrensburg - Allemagne

# Table des matières

Sauvée par un extraterrestre 1
Chapitre 1 4
Chapitre 2 12
Chapitre 3 21
Chapitre 4 27
Chapitre 5 32
Chapitre 6 37
Chapitre 7 44
Chapitre 8 50
Chapitre 9 56
Chapitre 10 62
Chapitre 11 69
Chapitre 12 73
Chapitre 13 79
Chapitre 14 85
Chapitre 15 91
Chapitre 16 96
Chapitre 17 102

# Chapitre 1

Emily Allen a essayé de s'asseoir, mais une main l'a repoussée en arrière. "Tu vas t'évanouir si tu recommences".

Une douleur inimaginable déchire son corps. Même respirer me fait mal. Elle s'est effondrée sur l'oreiller. "Où suis-je ?"

"Tu es à l'infirmerie", répond la voix.

Emily a essayé de cligner des yeux, mais ses yeux ne voulaient pas fonctionner. Elle s'est battue pour traverser les nuages de délire jusqu'à ce qu'elle soit certaine d'avoir les idées claires, mais le noir absolu lui bloquait toujours la vue. Elle s'efforce d'apercevoir la moindre lueur. "Suis-je aveugle ?"

La voix glousse de façon basse et rauque. Emily reconnaît maintenant qu'il s'agit d'une femme. "C'est après l'extinction des feux. Tu verras tout quand le courant reviendra".

L'esprit d'Emily s'est mis à tourbillonner, et ses souvenirs sont revenus à la vitesse de l'éclair. "Es-tu Romarie ?"

La femme n'a pas ri cette fois-ci. "Non, je suis humain. Je suis comme toi".

Emily a concentré ses yeux et ses oreilles sur la voix de la femme. "La dernière chose dont je me souviens, c'est que j'étais sur le bateau de Romarie. Ils m'ont enlevée, ainsi que mes deux sœurs et ma cousine, lors d'une réunion de famille à Seattle. Ils avaient prévu de nous emmener sur un marché aux esclaves quelque part dans l'espace."

L'inconnue a soupiré et sa voix s'est déplacée sur le côté. "C'est toujours la même histoire. J'aimerais avoir une pièce pour chaque femme qu'ils ont volée à la Terre."

Emily a penché la tête, mais elle n'a pas osé la soulever de l'oreiller de peur que la douleur aveuglante ne revienne. "Comment es-tu au courant ?"

"Je suis l'un d'entre eux. Ils m'ont aussi kidnappé. C'est comme ça que je suis arrivé ici." Elle était américaine... qui qu'elle soit... et elle avait l'air afro-américaine, peut-être de quelque part dans l'Est.

"Où est-ce qu'on est ?" Emily a entendu sa propre voix s'élever en signe d'alarme. "Où se trouve l'infirmerie dans laquelle je suis ?"

Une main chaude et douce a touché son bras. "Tu es sur la planète Angondra. Ne t'inquiète pas. Tu es à l'abri de la Romarie. Tu peux te détendre dans ce lit jusqu'à ce que tu ailles mieux. Tu as pris une sacrée raclée, mais la bonne nouvelle, c'est que tu te trouves dans l'établissement médical le plus avancé de la planète. Des médecins et des infirmières s'occupent de toi jour et nuit, non pas que tu en aies vraiment besoin. Tu as juste besoin de guérir de tes blessures."

"Qu'est-ce qui m'est arrivé ?" Emily a demandé. "Comment suis-je arrivé ici ?"

L'étrange femme s'est rapprochée. "Tu as été victime d'un accident. Le vaisseau romarien sur lequel tu étais s'est écrasé sur cette planète. Il s'est brisé dans l'atmosphère et tu es tombé. Vous avez atterri ici, sur notre territoire."

"Qui est le territoire ?" Emily a demandé.

"Vous êtes sur le territoire de la faction ursidréenne", lui dit la femme. "Il y a cinq factions sur cette planète, et il se trouve que tu as atterri ici. L'épave du vaisseau romarien a atterri sur le territoire lycaon, donc tes sœurs et ton cousin seront avec eux--- s'ils sont encore en vie."

Emily reprend son souffle et essaie à nouveau de s'asseoir. "Je dois les trouver".

La femme la pousse à nouveau vers le bas. "Tu ne peux pas te lever. Tu as le bassin brisé et plusieurs côtes cassées. Ton cerveau est gonflé. Tu n'iras nulle part avant longtemps. Tu n'as pas à t'inquiéter. Nous avons appris que presque toutes les femmes qui se trouvaient sur ce bateau ont survécu et qu'elles sont en train de se rétablir avec le Lycaon. Nous pouvons envoyer un mot pour savoir si tes sœurs et ton cousin sont avec eux."

Emily s'est débattue contre les mains de la femme qui la retenaient. "Je ne peux pas rester allongée ici. Je dois me lever. Je dois découvrir s'ils vont bien."

"Même si tu pouvais te lever", lui a dit la femme, "tu ne peux pas quitter l'infirmerie tant que l'électricité n'est pas rétablie. Il fait nuit noire dans toute la ville, et tu auras besoin d'un guide pour t'indiquer la sortie. Reste où tu es et concentre-toi sur ton amélioration. Ensuite, tu pourras décider de ce que tu veux faire."

Emily l'a repoussée. "Je ne peux pas".

Quelque chose a cliqué dans l'obscurité et une alarme a retenti au loin. La femme a saisi ses deux bras et l'a maintenue sur le lit. "Tu vas aggraver tes blessures si tu ne restes pas allongée".

L'esprit d'Emily est entré dans un maelström de confusion. "Il faut que je sorte d'ici. Je ne peux pas rester ici."

Une porte s'est ouverte, et des pas ont patiné dans la pièce. La voix de la femme souffle à côté de son oreille. "Tu vas aller dormir maintenant, mais nous allons tout faire pour t'aider à aller mieux. Nous en reparlerons quand tu te réveilleras."

Sa propre lutte lui envoie des éclairs de douleur dans tout le corps. Avant même que la seringue ne glisse dans son bras, une marée de douleur l'a emportée dans l'inconscience. Elle a titubé et s'est écroulée sur l'oreiller. Dans son dernier souffle, elle a murmuré : "Qui es-tu ?"

Elle a à peine entendu la femme murmurer à son tour avant de succomber à l'obscurité. "Je m'appelle Aria".

Une lumière vive l'a réveillée. Elle a cligné des yeux et pris une grande inspiration, mais respirer ne lui faisait plus mal maintenant. Elle tourne la tête à droite et à gauche et se retrouve dans une chambre d'hôpital propre et lumineuse. De l'autre côté de la pièce, un homme s'est agenouillé devant une armoire de pansements en tissu roulés. Il en a sélectionné un paquet et s'est levé. Il a fermé l'armoire et s'est retourné.

Il a soulevé un bloc-notes du comptoir et a noté quelque chose. Puis il rassembla ses pansements et commença à sortir de la chambre lorsqu'il remarqua qu'elle l'observait. Ses yeux se sont agrandis. "Tu es réveillée. C'est bien."

Emily le regarde fixement. La créature qu'elle a prise pour un homme à grosses épaules ne peut pas être humaine. Des cheveux bruns rêches pendaient jusqu'à ses épaules et couvraient son front et son cou d'une épaisse collerette. Ses épaules éclipsent sa tête et il se déplace d'une démarche lente et arrondie.

Il a remarqué qu'elle le fixait et a souri. "Comment te sens-tu ?"

Elle ne pouvait pas s'empêcher de le fixer. Elle a ouvert la bouche, mais aucun son n'en est sorti. Même lorsque la voix de cette femme étrange lui est revenue, elle n'a pas pu donner un sens à l'évidence qui se trouvait juste devant ses yeux. Cette créature était un extraterrestre. Elle était sur une autre planète. Même son expérience avec les Romarie ne l'a pas préparée au choc.

Il lui a souri. Le pétillement dans ses yeux était exactement le même que celui de n'importe quel humain. Son esprit commence à s'éclaircir. "Quel..... ?"

Il a posé le presse-papiers. "Qu'est-ce que je suis ? Je suis Ursidrean. Je suis Angondran... mais ça ne veut rien dire."

Emily a levé la tête, et comme elle ne ressentait aucune douleur, elle a essayé de s'asseoir. À son grand soulagement, elle a constaté qu'elle le pouvait. Elle se frotte la tête. "Cette femme.....e m'a parlé de ça".

Il a arqué les sourcils. "Quelqu'un de l'infirmerie a dû te l'expliquer. Tu es sur la planète Angondra. Tu es en territoire ursidéen."

Emily acquiesce, mais son esprit est encore sous le choc. "Depuis combien de temps je dors ?"

"Tu ne dormais pas", lui a-t-il dit. "Tu étais dans un coma provoqué par des médicaments. La seule fois où ils t'ont laissé te réveiller, tu n'as pas pu être attaché, et tes blessures étaient suffisamment dangereuses pour que les médecins décident de te mettre sous sédatif jusqu'à ce que tu ailles mieux."

Elle a regardé son uniforme blanc. "Les médecins ? Tu n'es pas médecin ?"

Il a gloussé. "Moi ? Non, je ne suis pas médecin. Je suis infirmier à la patrouille des frontières. Je ne suis là que pour le réapprovisionnement, puis je m'en vais. Mon unité t'a trouvé à la frontière, et c'est moi qui t'ai ramené. Je suis heureuse de voir que tu vas mieux maintenant. Nous n'étions pas sûrs que tu survivrais à ta chute."

Emily a pris une autre grande inspiration. Comme c'est bon de respirer ! "Depuis combien de temps suis-je ici ?"

"Presque six mois", lui a-t-il dit.

Elle a sursauté. Puis elle s'est poussée hors du lit. "Il faut que je sorte d'ici".

Il a fait un pas en avant. "Je m'installerais si j'étais toi. Tu as encore beaucoup de récupération à faire avant de partir en sautillant vers des régions inconnues."

Emily a regardé autour de la pièce. "Où est cette femme, celle qui était là avant ?"

Il penche la tête. "Quelle femme ?"

"Il y avait une femme ici quand je me suis réveillée la dernière fois", a répondu Emily. "Elle a dit qu'elle s'appelait Aria, peu importe ce que ça veut dire. Elle a dit qu'elle avait été kidnappée par les Romarie, elle aussi."

Il a hoché la tête. "Ah, oui. Aria. Elle n'est pas là pour le moment, mais je peux dire aux infirmières que tu l'as demandée. Elle est occupée avec quatre petits, alors elle ne travaille pas à l'infirmerie autant qu'elle le voudrait."

Emily a commencé. "Les louveteaux ?"

Il l'a regardée. "Quel est le mot que tu utilises pour désigner ton jeune ?"

"Tu veux dire des enfants ?" Emily a demandé.

Il l'a pointée du doigt. "C'est ça. Les enfants . Elle a quatre enfants."

"Est-ce que la Romarie a aussi enlevé ses enfants de la Terre ?" Emily a demandé.

Il s'est éloigné. "Non, elle les avait ici".

Sa conversation avec Aria lui revient en mémoire. "Est-ce que ses petits.....vous savez, est-ce que ce sont des Ursidréens ?".

"Oui, ce sont des ursidréens", a-t-il répondu. "Le compagnon d'Aria est l'Alpha de notre faction, et il est le père des petits, donc oui, ce sont des Ursidréens".

"Depuis combien de temps est-elle ici ?" Emily a demandé. "Elle a dû débarquer ici il y a longtemps pour avoir quatre enfants...". Je veux dire des petits."

"Elle est ici depuis deux ans", a-t-il répondu. "Elle a eu la première série de jumeaux lors de sa première année ici et la deuxième série l'année dernière".

"Elle doit être occupée alors", remarque Emily. "Elle doit avoir beaucoup de travail à faire. Je suis surpris qu'elle arrive à l'infirmerie."

"Pas tellement", a-t-il répondu. "Les petits se déchaînent la plupart du temps. Ils luttent avec leurs amis et parcourent les grottes et les montagnes. Elle a beaucoup plus de temps pour elle maintenant qu'avant."

"Mais ils ont moins d'un an", fait remarquer Emily. "Comment peuvent-ils se promener tout seuls ?"

Il a haussé les épaules et s'est détourné. "C'est le cas de tous les oursons, je suppose. Dans un an, ils seront complètement adultes et ils ne reviendront plus du tout dans leur grotte d'origine."

Emily se frotte la tête. Ça fait encore mal. "Je suppose que c'est différent pour les oursons ursidréens que pour les enfants humains".

"Sans aucun doute". Il a commencé à partir.

"Hé, attends !" l'appelle-t-elle après lui.

"Qu'est-ce que c'est ?" demande-t-il.

"Je n'ai pas eu l'occasion de te remercier de m'avoir fait venir", a-t-elle répondu.

"Je ne faisais que mon travail". Il est sorti de la pièce à grands pas avant qu'elle n'ait pu dire quoi que ce soit d'autre.

La porte n'avait même pas cessé de se balancer qu'une Afro-Américaine aux cheveux bruns courts coupés près du cuir chevelu entra en trombe. Elle s'est assise sur le lit à côté d'Emily. "Tu es réveillée. Comment te sens-tu ?"

"Je me sens bien", répond Emily. "Je veux dire que je me sens à peu près aussi bien que quelqu'un qui est resté au lit pendant six mois".

Aria sourit. Elle n'avait pas l'air si vieille que ça, mais de fines ridules plissaient le coin de ses yeux. Elle en a vu beaucoup pour ses années. "Tu te sentiras mieux une fois que tu auras commencé à bouger. Peux-tu marcher ?"

"Je n'ai pas essayé", répond Emily. "Je n'étais pas sûr de devoir le faire".

"Essaie", lui dit Aria. "Ton bassin est entièrement guéri maintenant, et nous avons utilisé le compensateur de rotation pour arrêter la déperdition de tes muscles. Tu te remettras vite, alors plus tôt tu commenceras, mieux ce sera."

Emily a passé ses jambes sur le côté du lit. Ils ont mal à cause d'une longue inutilisation, mais ils ne font pas mal lorsqu'elle pose ses pieds sur le sol. Elle hésite cependant à peser de tout son poids sur eux. Elle a jeté un coup d'œil vers la porte. "Qui est l'homme qui vient de partir ? Il a dit qu'il était un infirmier de la patrouille frontalière qui m'a amené ici."

"Tu veux dire Faruk ?" demande Aria. "Oui, c'est le meilleur que nous ayons. Le conseil médical essaie depuis des années de le faire travailler ici, en ville, mais il ne veut pas renoncer à la patrouille frontalière. Il aime trop les montagnes. Tu as eu de la chance que ce soit lui qui te trouve. Il t'a sauvé la vie".

Emily a hoché la tête. "J'ai essayé de le remercier, mais il n'a rien voulu entendre".

Aria a traversé la pièce et a commencé à organiser les étagères. "C'est tout à fait son genre. Il est humble. Il ne pense pas avoir l'expertise nécessaire pour travailler en ville, mais il en sait plus que la plupart des médecins. Il forme tous les médecins du corps et les hommes l'adorent."

"Quelle est cette ville ?" Emily a demandé.

Aria s'est retournée et l'a regardée fixement. Puis elle a souri. "J'oublie toujours que tu ne sais rien. Tu te trouves dans la capitale ursidienne. Il s'appelle Harbeiz. C'est Angondran pour le numéro un. Toutes les villes sont nommées d'après des nombres en fonction de la distance qui les sépare d'Harbeiz."

Emily regarde vers la porte. "Il est difficile de croire qu'il y a une autre planète derrière cette porte".

"Il y a encore une chose que je dois te dire avant que tu n'ailles plus loin", poursuit Aria. "Alors je t'emmène faire un tour".

"Qu'est-ce que c'est ?" Emily a demandé.

"Les villes ursidréennes sont souterraines", répond Aria. "Le territoire des Ursidréens couvre d'immenses chaînes de montagnes, et les Ursidréens vivent dans des grottes sous terre... comme des ours".

Emily la regarde fixement. "Des ours ?"

Aria a hoché la tête, et un sourire complice s'est glissé sur son visage. "Les ursidiens ressemblent beaucoup aux ours. Si tu t'en souviens, il est beaucoup plus facile de les comprendre."

À ce moment-là, une bande de garçons turbulents se précipite dans la pièce. Ils bouleversent une table roulante sur laquelle se trouve un pichet d'eau. L'eau a éclaboussé toute la literie d'Emily. Les garçons ont crié, donné des coups de poing et se sont attaqués les uns les autres jusqu'à ce qu'Aria les sépare. "Combien de fois t'ai-je dit de ne pas venir à l'infirmerie ? Tu n'as pas assez d'espace pour courir dans le couloir sud ?"

Un grand garçon en désigne un autre, plus petit. "Rekti a volé ma catapulte quand je ne regardais pas et il l'a cassée. Maintenant, je dois tout recommencer et fabriquer un nouveau mécanisme de mise à feu." Pour faire valoir son point de vue, il a retiré son poing et l'a élancé vers le plus petit garçon. Il lui aurait donné un coup de poing dans l'œil si Aria ne l'avait pas entraîné à la dernière seconde.

"Je me fiche de ce qu'a fait Rekti", s'est emportée Aria. "Ne l'apporte pas à l'infirmerie. C'est ton dernier avertissement, Mirin. Si je te surprends, toi ou d'autres garçons, ici, je vous dénoncerai à Donen, et tu sais ce que cela signifie."

À la mention de Donen, les deux garçons se sont figés et sont devenus silencieux. Ils se lancent des regards furtifs, mais toutes les hostilités cessent en un instant. Ils avaient la même collerette de cheveux autour de la tête et du cou et la même lourde arête de sourcils au-dessus des yeux. À part cela, ils étaient exactement comme n'importe quel autre garçon humain.

"Maintenant, retourne dans le couloir sud", leur a dit Aria. "Et Rekti, tu ne touches pas aux affaires de ton frère. Tu n'aimerais pas qu'il vole ton micro-magnificateur et qu'il le casse, n'est-ce pas ?".

Aria les laisse partir. Ils se sont placés l'un en face de l'autre et se sont jetés des regards.

"Est-ce que ces.... ?" Emily a demandé. "Ce sont tes enfants ?"

Aria pose son poing sur sa hanche. "Oui, ils le sont. J'aimerais seulement pouvoir les faire jouer avec leurs amis plutôt qu'entre eux pour ne pas avoir à éponger le sang tous les jours. Ils se battent comme des chats et des chiens."

Mirin a froncé les sourcils en regardant sa mère. "C'est quoi les chats et les chiens ?"

"Mais il est....." Emily a pointé Mirin du doigt. "Il n'a que deux ans. Et celui-ci n'est que...."

"Rekti et son frère jumeau ont neuf mois". Elle a poussé les garçons vers la porte. "Maintenant, va-t'en". Ils ont disparu. "Les oursons ursidréens arrivent à maturité au bout de cinq ans. On est loin d'avoir vingt ans comme des enfants humains."

Emily les suit du regard, les yeux écarquillés. "C'est incroyable. Je ne sais pas si c'est bon ou mauvais, mais c'est incroyable."

"Où sont tes deux autres.....cubs ?" Emily a demandé.

"Vashet, le jumeau de Mirin, ne passe pas beaucoup de temps avec ses frères", répond Aria. "Il passe presque tout son temps avec ses amis. Et Avi, le jumeau de Rekti, a des problèmes particuliers. Il est à l'Académie."

"Je suis désolée", lui a dit Emily. "Je ne devrais pas me mêler de ta vie privée".

"Avez-vous des enfants ?" demande Aria.

"Je n'en ai pas moi-même", répond Emily. "Mon mari avait deux fils adolescents, et j'ai aidé à les élever. Mais quand mon mari est mort, ils sont allés vivre avec leur oncle, alors je crois que mon travail est terminé. J'essayais de concevoir quand mon mari est mort".

Aria s'est de nouveau assise sur le lit. "Je suis désolé d'être celui qui fait remonter des souvenirs douloureux".

"S'il te plaît, ne t'excuse pas", s'exclame Emily. "Je suis simplement reconnaissante de ne plus être sur le bateau de Romarie. Tout est mieux que ça, et j'étais en train de chercher un nouveau but dans la vie quand ils nous ont enlevées, mes sœurs et moi, et....".

"Et ta cousine", a ajouté Aria. "Tu me l'as dit".

"Y a-t-il un moyen de savoir ce qu'il en est ?" Emily a demandé.

"La personne à qui il faut poser la question est Faruk", répond Aria. "Son unité patrouille à la frontière lycéenne. Si quelqu'un peut le découvrir, c'est bien lui."

# Chapitre 2

Emily s'est traînée dans un long couloir, sa robe de chambre traînant derrière elle. Chaque pas lui demandait un effort énorme, mais elle avait dépassé l'infirmerie pour se rendre dans la partie résidentielle de la ville souterraine d'Ursidrean. Elle a plissé les yeux pour regarder les lumières au-dessus de sa tête. "Comment produis-tu de l'électricité ?"

"Les montagnes contiennent une combinaison unique de métaux et de structures cristallines qui mettent en place un flux d'électrons à travers la matrice rocheuse", lui a expliqué Aria. "Ils canalisent l'énergie de l'atmosphère dans les montagnes, et nous la récoltons avec des bobines électromagnétiques enfouies dans ces grottes. C'est pourquoi l'électricité ne fonctionne que pendant la journée. Le reste du temps, nous sommes dans l'obscurité, mais cela ne dérange pas les Ursidréens. Nous passons le temps dans nos maisons avec nos familles, et nous utilisons nos autres sens comme l'ouïe, le toucher et l'odorat."

Emily secoue la tête. "C'est fascinant. Vous avez une civilisation si avancée, et pourtant c'est si simple. Je suis impressionné."

Aria a pointé du doigt les lumières. "Ce ne sont pas des lumières électriques, cependant. Ce sont des tubes lumineux qui conduisent la lumière dans la ville depuis l'extérieur."

Emily les regarde fixement. "Ils sont si brillants. Je n'aurais jamais deviné."

Aria se promène dans le couloir à ses côtés. "Les autres Angondrans pensent que les Ursidréens sont brutaux et stupides, mais nous avons la technologie la plus avancée de la planète. Aucune des autres factions ne possède notre technologie. Je ne pense pas qu'ils en veuillent. Je sais que les lycaons n'ont même pas d'électricité. Ils vivent dans des huttes faites de bâtons dans la forêt."

Emily a fait un autre pas. "J'espère que mes sœurs vont bien".

"Je suis sûr qu'ils le sont". Aria fait un signe de la main en direction d'une porte. "Entre ici".

"Quel est cet endroit ?" Emily a demandé.

"C'est ma maison". Aria a tenu la porte ouverte et Emily est entrée dans un salon frais et lumineux avec des fenêtres du sol au plafond qui donnent sur une gigantesque caverne. Une lumière aussi vive que le jour descendait d'en haut et éclairait l'étage tout en bas grouillant de gens qui se déplaçaient dans toutes les directions. Emily a jeté un coup d'œil vers la lumière. "Est-ce que c'est aussi un tube lumineux ?"

Aria n'a même pas regardé. "C'est la même technologie que les tubes lumineux, mais beaucoup plus grande. C'est un puits taillé dans la roche et tapissé de pierres réfléchissantes. Il conduit la lumière jusqu'à la baie principale."

Emily a étudié les minuscules personnages qui se trouvaient en dessous d'elle. Ils ont suivi des allées et des chemins à travers la caverne, entrant et sortant par des portes dans d'autres chambres, et entre des fontaines ruisselantes et des voies d'eau placées entre des plantations d'arbres et d'arbustes. "C'est incroyable. Je n'arrive toujours pas à croire que tout cela est souterrain."

"Les Ursidréens sont peut-être comme des ours à bien des égards", a répondu Aria. "Mais ce sont toujours des personnes. Tous les Angondrans appartiennent à la même espèce, et ils ont tous fondamentalement la même apparence et le même comportement. Ils ne sont pas si différents des humains. Ils ont commencé à la surface de la planète, les Ursidréens ne pouvaient donc pas renoncer complètement à la lumière, aux arbres et à l'eau lorsqu'ils se sont déplacés sous terre. Ils ont donc trouvé des moyens de l'apporter avec eux."

"C'est magnifique", s'exclame Emily. "On dirait un vallon de montagne".

"Assieds-toi", lui dit Aria. "Tu dois être affamée. Tu n'as pas mangé de vraie nourriture depuis six mois."

Emily a tourné le dos à la caverne. Aria a préparé une sorte de fruit sur un comptoir à l'autre bout de la pièce. Elle a posé une assiette de tranches colorées sur une table, et Emily s'est assise en face d'elle. "Je suis affamé, mais ce n'est pas parce que j'ai dormi pendant six mois. La promenade que je viens de faire est l'exercice le plus difficile de ma vie. Je pourrais me rendormir tout de suite".

Aria s'est adossée à sa chaise et a regardé Emily manger. "Tu es faible, mais le compensateur te fera récupérer beaucoup plus vite que si tu ne l'avais pas eu. Tu dois faire travailler tes muscles, et tu reviendras bientôt à la normale."

"Tu me feras visiter le reste de la ville ?" Emily a demandé.

"Je ferai tout ce que je peux", a répondu Aria. "Mais je suis assez occupée avec les garçons en ce moment. Je vais demander à Donen de désigner quelqu'un pour te faire visiter les lieux et t'installer."

"Qui est Donen ?" Emily a demandé.

"C'est mon compagnon, et il est l'Alpha de la faction ursidréenne". Avant qu'elle ait fini de parler, la porte s'est ouverte et un homme encore plus grand que Faruk est entré. Il a jeté un coup d'œil aux deux femmes et s'est assis à la table avec elles. "Le voici. Voici Donen". Aria a sursauté. "Je viens de réaliser que je ne connais pas ton nom".

Emily a souri. "C'est Emily Allen. C'est un plaisir de vous rencontrer."

Donen acquiesce. "Tout le plaisir est pour moi. Nous avons tous attendu que tu sortes du coma. Toute la ville parle de toi."

Les yeux d'Emily se sont agrandis. "Ils le sont ?"

Donen a pris une tranche du fruit. "Ce n'est pas tous les jours que quelqu'un nous tombe dessus depuis l'espace, et encore moins depuis un transport Romarie. J'espère que tu n'as pas eu la vie trop dure avec eux."

Emily a mangé un dernier morceau de fruit et s'est assise sur sa chaise. "Pas aussi rude que certaines des autres femmes. J'ai eu de la chance. Il y avait tellement d'autres femmes sur le bateau que Romarie ne pouvait pas toutes nous harceler. Ils m'ont ignoré jusqu'à ce qu'on s'écrase".

"Tu as eu de la chance", lui a dit Aria.

"Tu n'as plus à t'inquiéter pour la Romarie", lui a dit Donen. "Ils ne viennent pas sur cette planète et tu ne retourneras pas dans l'espace. Tu ne verras plus jamais de Romarie tant que tu vivras."

"Pourquoi ne vais-je pas retourner dans l'espace ?" Emily a demandé. "N'y a-t-il pas un moyen de retourner sur Terre ?"

Aria a échangé un regard avec Donen, qui a secoué la tête. "Nous n'avons pas de capacité de vol spatial. Aucune des factions d'Angondran ne le fait. Je suis désolé, mais tu es coincé ici".

Emily regarde ses mains.

"Je suis désolée", a murmuré Aria. "J'aimerais qu'il y ait quelque chose que nous puissions faire, mais le reste d'entre nous est coincé ici aussi. Certaines femmes mettent beaucoup de temps à surmonter le chagrin de ne plus jamais revoir leur famille et leur maison. La plupart d'entre nous qui sommes ici depuis un certain temps ont construit de nouvelles vies ici, comme moi. La vie continue, et tu as de nouvelles familles et de nouveaux foyers."

Emily secoue sa frange pour la dégager de ses yeux. "Peu importe, j'ai des choses plus importantes à me préoccuper pour l'instant. Si je suis coincé ici, cela veut dire que mes sœurs et mon cousin sont là aussi."

Aria s'est levée d'un bond. "C'est exact. Donen, Emily veut retrouver ses sœurs et sa cousine. Ils étaient sur le navire romarien avec elle, ils doivent donc être avec les Lycaons. J'ai suggéré de demander à Faruk de les contacter le long de la frontière pour savoir où ils sont et s'ils vont bien."

Donen fronce les sourcils. "Tu sais que la patrouille frontalière ne contacte pas les lycaons au-delà de la frontière. C'est la chose la plus dangereuse qu'ils puissent faire. Tu devrais savoir qu'il ne faut pas le suggérer."

"Tu ne pourrais pas faire une exception pour cette fois ?" Aria fait un signe de la main à Emily. "Cette femme vient de tout perdre, et les trois membres de sa famille qu'elle a encore sont quelque part sur cette planète. Le moins que l'on puisse faire, c'est de savoir où ils se trouvent. Elle ne sera pas à l'aise ici tant qu'elle ne saura pas qu'ils sont en sécurité."

" S'ils sont avec les Lycaons ", a répondu Donen, " ils sont en sécurité. Les Lycaons prennent bien soin des étrangers. C'est le cas de tous les Angondrans."

Aria s'est approchée de sa chaise et a posé sa main sur son épaule. Elle a réduit sa voix à un doux murmure. "Tu ne veux pas le faire juste pour cette fois ? Fais-le pour moi. Tu ne te souviens pas des difficultés que nous avons rencontrées, mes amis et moi, lorsque nous avons débarqué ici pour la première fois ? Imagine ce que j'aurais ressenti si j'avais des sœurs et des cousines perdues quelque part sur la planète. Tu aurais fait n'importe quoi pour les trouver pour moi, n'est-ce pas ?".

Donen regarde fixement le plateau de la table. Puis il a croisé les bras sur la table et a laissé tomber sa tête sur eux. Il a gémi. "Tu ne comprends pas. C'est le pire jour de ma vie".

Les yeux d'Aria se sont ouverts. "Qu'est-ce qu'il y a ?"

"D'accord, c'est le deuxième pire jour de ma vie", répond Donen. "Non attends. C'est le troisième pire jour de ma vie."

Aria a jeté un coup d'œil à Emily, mais ni l'une ni l'autre n'a pu dire quoi que ce soit.

"Le pire jour de ma vie", poursuit Donen, "c'est quand cet idiot à la gâchette facile, Bianti, a tiré sur cette femme et ces enfants felsiques le long de notre frontière nord. Je n'arrive toujours pas à croire que lui et les autres patrouilleurs puissent faire une telle erreur après tout l'entraînement qu'ils ont reçu."

Aria se tourne vers Emily. "L'oncle de Donen a commis une terrible erreur dans les bois qui bordent notre frontière avec la faction felsite. Il a vu un groupe de silhouettes se déplacer dans les arbres, et il a pensé qu'il s'agissait de commandos qui venaient envahir notre territoire."

"Il ne s'est même pas arrêté pour vérifier d'abord", a ajouté Donen. "Il n'a pas vérifié où il se trouvait par rapport à la frontière. Il pensait qu'ils étaient de notre côté de la frontière, alors qu'en fait ils étaient bien sur leur propre territoire, et c'est notre patrouille qui a envahi leurs terres."

Aria fait claquer sa langue et caresse sa tête poilue.

"Le deuxième pire jour de ma vie", poursuit Donen, "c'est quand Renier nous a éloignés de la cité felsique".

"Renier est l'alpha de la faction des Felsites", explique Aria à Emily. "Donen a attaqué sa ville, mais l'attaque a échoué. Les Felsites ont défendu leur territoire et les Ursidréens ont dû se retirer."

"Je devais attaquer !" Donen s'est écrié. "Je ne voulais pas le faire. Tout le monde sait que Bianti a commis une horrible erreur. Nous aurions dû nous excuser auprès des Felsites et leur proposer de réparer les dégâts par tous les moyens possibles. Cela aurait été la chose honorable à faire".

"Le Conseil suprême en a décidé autrement", a expliqué Aria à Emily. "Ce sont eux qui prennent les décisions de faire la guerre et toutes ces bêtises. Ils ont ordonné à Donen d'attaquer le Felsite pour défendre l'honneur de l'Ursidrean. Ils ont dit que les accusations de Renier étaient incendiaires et que nous devions renforcer notre frontière."

"Chaque mot que Renier a dit sur nous et sur la patrouille de Bianti était vrai", a grogné Donen. "Il était stupide et imprudent, et il devrait être exclu du corps". Il a baissé la tête. "Peut-être que je devrais rejoindre la Felsite".

Aria a gloussé et s'est assise sur ses genoux. Elle a pressé sa tête contre sa poitrine. "Alors tu ne m'aurais pas, ma chérie".

Il a entouré sa taille de ses bras et a levé son visage vers le sien. Emily se tortille tandis qu'ils partagent un baiser profond et passionné. "Ne t'inquiète pas. Je ne t'abandonnerai jamais, toi et les garçons".

Aria s'est levée et a apporté l'assiette de fruits au comptoir. "Alors pourquoi aujourd'hui est-il le troisième pire jour de ta vie ?".

Donen a repoussé sa chaise. "Ce moulin à paroles Oxlo veut que je renouvelle les hostilités avec les Felsites. Je le lui ai dit sur mon cadavre. Si le Conseil suprême veut reprendre les hostilités, il peut trouver un autre commandant."

Aria s'est retournée. "Sont-ils susceptibles de le faire ?"

"Ils ne peuvent pas", a-t-il répondu. "Je suis Alpha, qu'ils le veuillent ou non. Ils ne peuvent pas me remplacer en tant que commandant de l'armée, et je ne retournerai pas en Felsite - pas pour une chose aussi ridicule que celle-ci. Ce serait différent si une autre faction envahissait nos frontières et attaquait nos villes, mais les Felsites n'ont pas fait cela. Nous l'avons fait."

"Alors qu'est-ce que tu vas faire ?" demande Aria.

Il a tapé du poing sur la table. "J'ai fait savoir à Renier que je voulais négocier un accord de paix à long terme entre nos factions. Je ne veux pas répéter ces désastres, et je suis sûr qu'il ne le veut pas non plus. C'est un homme raisonnable."

"Que fera le Conseil suprême quand il découvrira que tu as envoyé le message ?" demande Aria.

"Je leur ai déjà dit", a-t-il répondu. "Ils ne peuvent rien faire. Je suis l'alpha. C'est à moi qu'incombe la responsabilité ultime d'assurer la sécurité de notre peuple, et non au Conseil."

Avant que quiconque ne puisse dire un mot de plus, la porte s'est ouverte et les deux mêmes garçons ont dégringolé dans la pièce. Ils se sont donné des coups de poing, des coups de pied et des crachats, et se sont écrasés sur la chaise d'Aria. Ils ont rebondi et sont tombés sur Donen.

Il a refermé Rekti dans ses bras et a repoussé Mirin. "Hé ! Que se passe-t-il ici ? C'est quoi tout ce remue-ménage ?"

Les deux garçons ont crié en même temps. "C'est lui qui a commencé. Je ne l'ai pas fait ! Il m'a frappé en premier. C'est un mensonge !"

Donen a levé la main. "Ça suffit pour vous deux. Maintenant, dis-moi exactement ce qui s'est passé. Commençons par toi, Mirin."

Rekti se blottit dans les bras de son père et Mirin respire profondément. "Il a dit que je n'ai pas le droit d'aller à l'armée parce que je ne sais pas lire, et ce n'est pas vrai".

"Alors, qu'est-ce que tu as fait ?" demande Donen.

"Je l'ai frappé". Mirin brandit son poing au visage de son frère. "Et je continuerai à le frapper chaque fois qu'il dira quelque chose de ce genre. Je sais lire aussi bien que lui."

"Il ne peut pas, interrompt Rekti.

Donen a serré Rekti dans ses bras. "Ne te préoccupe pas de savoir qui sait lire et qui ne sait pas. Cela n'a pas d'importance. Mirin, je t'ai déjà dit que c'est à toi de veiller sur tes jeunes frères, et je compte sur toi pour le faire. Que se passerait-il si tu étais coincé dehors dans une tempête de neige et que personne d'autre n'était là pour s'occuper de toi ? Tes frères auraient besoin que tu t'assures qu'ils rentrent bien à la maison et que tu ne les frappes pas chaque fois qu'ils disent quelque chose que tu n'aimes pas."

"Mais il....." Mirin a commencé.

Donen a fermé les yeux et a secoué la tête. "Ce qu'il dit n'a pas d'importance. Le frapper n'est pas une option. Tu m'entends ?"

Mirin regarde le sol avec un air renfrogné.

"Laisse-moi t'entendre le dire", lui a dit Donen.

Mirin a enfoncé son orteil dans le sol.

Donen a baissé d'un registre et sa voix a grondé dans la maison. "Laisse-moi t'entendre le dire, Mirin".

Mirin lui lance un regard noir. "Le frapper n'est pas une option".

"Bien. Maintenant, Rekti." Donen a serré son fils cadet dans ses bras. "Tu devrais savoir qu'il ne faut pas contrarier ton frère de la sorte. Bientôt, vous serez tous les deux adultes, et j'aurai besoin que vous travailliez ensemble pour notre faction. Je ne pourrais pas vous avoir avec moi dans l'armée si vous vous battez tout le temps."

Les deux garçons suspendent la tête en silence.

"Maintenant, Rekti, poursuit Donen, si la lecture est si importante pour toi, tu devrais aller lire un peu jusqu'à ce que tu sois à nouveau prêt à passer du temps avec ton frère."

"Mais je ne veux pas lire", s'est écriée Rekti.

"Alors tu ne devrais pas dire des choses comme ça à Mirin quand tu sais que tu vas le mettre en colère", lui a dit Donen. Il a répété : "Si la lecture est plus importante pour toi que ton frère, alors va la faire."

Rekti renifla, mais il glissa des genoux de son père et sortit de la pièce en traînant les pieds. Il a fermé la porte derrière lui. Emily et Aria sont restées assises en silence, mais Aria a souri à Donen et aux garçons.

Donen a redressé les épaules. "Maintenant, Mirin, je ne voulais pas dire ça devant Rekti, mais tu es la plus âgée, alors je vais te dire quelque chose que personne d'autre ne sait."

La tête de Mirin s'est levée et ses yeux se sont écarquillés.

Donen le fixe d'un regard dur sous ses lourds sourcils. "J'ai cherché un guerrier fort et intelligent pour faire un travail très important pour moi, et je n'ai trouvé personne en qui je puisse avoir confiance. Peut-être que tu pourrais être le bon."

Mirin a fixé son père avec des yeux écarquillés, mais il n'a rien dit.

"Je veux que tu descendes à la baie de transport terrestre", lui a dit Donen. "Je veux que tu trouves mon téléporteur. Tu sais lequel est le mien, n'est-ce pas ?"

Mirin a hoché la tête, la bouche ouverte.

Donen a pressé ses lèvres l'une contre l'autre. "Je sais que tu as beaucoup travaillé ces derniers temps à réparer des machines et à les recâbler. Je veux que tu répares le système de suivi du chemin de roulement gauche. Tu peux le faire, n'est-ce pas ?"

Mirin a de nouveau hoché la tête.

"Je sais que tu peux le faire", lui a dit Donen. "Je t'ai vu le faire sur ton petit buggy de baie. Le système est exactement le même. Le câblage est également le même, mais il est beaucoup plus gros. Penses-tu pouvoir t'occuper de ce travail à ma place ?"

Un sourire radieux se dessine sur le visage de Mirin. Une lumière joyeuse jaillit de ses yeux. "Pourrais-je vraiment, mon père ? Le pourrais-je vraiment ?"

Donen n'a pas souri. "C'est un travail important. Tu ne pourras pas t'amuser à lutter avec tes frères pendant que tu fais ça. Tu devras t'y tenir jusqu'à ce que tu termines, ou je n'aurai pas de téléporteur quand j'en aurai besoin. Tu penses que tu peux le faire ?"

Mirin s'est redressé, mais il n'a pas pu effacer le sourire de son visage. "Je peux le faire. Vous pouvez compter sur moi, mon père."

Donen soupire. "Très bien. Je te fais confiance. Maintenant, va dire au garde à la porte que tu es de service pour moi. Il te donnera un laissez-passer pour entrer dans la baie. Tu ne peux pas le partager avec tes frères, et aucun d'entre eux n'est autorisé à se rendre à l'étage de la baie. Comprends-tu cela ? Ceci n'est que pour toi."

Mirin a hoché la tête. "Ne t'inquiète pas. Je ne prendrai aucun de mes frères".

Aria adresse à Emily un sourire complice. Donen donne une tape sur l'épaule de Mirin. "Bien. Maintenant, tu peux y aller. Je sais que tu feras du bon travail."

Mirin est partie et Aria s'est installée dans son fauteuil. Donen a sorti un appareil portable de sa poche et l'a touché. "Qu'est-ce que tu fais ?"

"Je relaie l'autorisation au garde pour qu'il le laisse passer", a-t-il répondu.

"Tu penses vraiment que c'est une bonne idée ?" Emily a demandé. "Ce n'est qu'un garçon".

"C'est le meilleur mécanicien de toute la ville", répond Donen. "Il a démonté des véhicules plus compliqués que le transporteur et les a remontés mieux qu'avant. Je lui ai dit la vérité. Je ne trouve personne pour réparer ce chemin de roulement. Plus tôt il s'engagera dans l'armée, mieux ce sera. Il est de toute façon trop vieux pour jouer avec Rekti. Il a besoin de se dépasser et d'accomplir quelque chose pour lui-même."

"C'est merveilleux", s'exclame Aria. "C'était un coup de génie. C'est la meilleure chose qui puisse lui arriver, et il ne se battra pas avec ses frères quand il travaillera sur le sol de la baie."

Donen s'est levé. "Il ne le fera certainement pas. Il ne partagera jamais cela avec qui que ce soit. Maintenant, je dois y aller. Je te verrai plus tard."

"Attends une minute", a appelé Aria après lui. "Que dirais-tu de demander à Faruk de contacter les Lycaons pour en savoir plus sur les parents d'Emily ?".

Donen se dirige vers la porte. "Tu sais que c'est impossible. La patrouille frontalière ne contacte ni le Lycaon ni personne d'autre. Leur travail consiste à patrouiller à la frontière, pas à relayer des messages dans les deux sens. Nous avons des canaux diplomatiques pour cela."

"Mais c'est le moyen le plus rapide de savoir si les femmes sont là et si elles sont en sécurité", argumente Aria.

Les épaules de Donen se sont affaissées. "D'accord, je lui demanderai, mais tu sais ce qu'il dira. Ce n'est pas un garçon de courses".

Emily a fait un pas en avant. "Attends une minute. Je ne veux pas que tu envoies un message. Je veux voir mes sœurs et ma cousine par moi-même."

Donen s'est arrêté devant la porte et l'a dévisagée. Aria a posé l'assiette qu'elle tenait dans sa main. "Tu ne peux pas aller à la frontière. C'est trop dangereux."

Emily s'est retournée contre elle. "Je ne veux pas attendre qu'il parte sans moi. Si c'est assez sûr pour qu'il y aille, c'est assez sûr pour moi."

Donen a serré la mâchoire. "Si Faruk n'accepte pas de t'emmener, tu ne trouveras jamais la frontière. Si tu ne peux pas le convaincre, tu n'as pas d'autre choix que d'attendre."

# Chapitre 3

Aria et Emily se tenaient sur le pont d'observation qui surplombe le territoire ursidéen. Des montagnes enneigées les surplombent, et sous le pont, des collines rocheuses tombent jusqu'à des forêts sombres et au-delà. Le soleil étincelait sur la neige.

"Tu es sûre de vouloir sortir de là ?" demande Aria. "Tu peux rester ici aussi longtemps que tu le souhaites".

"Je dois retrouver mes sœurs", lui a dit Emily. " Attendre ici est la dernière chose au monde que je veux faire. Si Faruk les trouve, je veux être là pour les voir de mes propres yeux et savoir qu'ils sont en sécurité."

Aria soupire. "Ça n'a pas l'air bon en bas".

Sur le champ de gravier en dessous d'eux, Donen et Faruk se tenaient face à face dans une conversation animée. Ils ont ponctué leur échange de gesticulations sauvages. "Faruk n'a pas l'air content de ça".

"Tu ne peux pas lui en vouloir", a répondu Aria. "Il n'a jamais voyagé qu'avec des patrouilles frontalières entraînées. Tu es une quantité inconnue pour lui."

Donen a mis fin à la conversation d'un geste de la main et s'est dirigé vers le pont d'observation. "Il refuse de t'emmener, comme je te l'avais dit".

"Qu'allons-nous faire à ce sujet ?" Emily a demandé.

"Nous, a-t-il répondu, nous n'allons rien faire. Si tu veux qu'il te prenne, tu ferais mieux d'aller là-bas et de le convaincre. Je ne peux rien faire de plus." Il s'est éloigné.

"Tu ne peux pas lui ordonner de m'emmener ?" Emily a demandé. "Tu es le commandant de l'armée".

Donen te rappelle par-dessus son épaule. "Je lui ai donné des ordres, et il a toujours refusé. Va lui parler toi-même. Tu auras peut-être plus de succès."

Emily regarde le terrain. Faruk louche dans le soleil en direction du pont d'observation. Son équipe de gardes-frontières armés l'attendait à la lisière des arbres. Aria soupire. "Si tu dois lui parler, tu ferais mieux de le faire maintenant. Il est sur le point de partir, et qui sait quand il reviendra."

Emily a serré les dents et a descendu les marches sur le terrain. Faruk l'a vue arriver et a attendu. Il a étudié ses mouvements sur le chemin du terrain. Elle se fraye un chemin parmi les pierres et s'arrête devant lui.

"Qu'est-ce que c'est que cette bêtise de vouloir que tu viennes avec nous à la frontière ?". demande Faruk.

"Ce n'est pas de la bêtise", lui a dit Emily. "J'ai deux sœurs et un cousin chez les Lycaons, et je veux savoir s'ils sont en sécurité. C'est la seule façon pour moi de le faire".

"Tu peux attendre ici, et je me renseignerai pour toi", lui a-t-il dit.

Elle a secoué la tête. "Je ne veux pas attendre".

"C'est trop dangereux", lui a-t-il dit. "Tout peut arriver à la frontière. Aria t'a parlé de cette femme felsique qui a été tuée. Cela pourrait être toi."

"Je n'ai plus rien d'autre dans ma vie maintenant", lui a-t-elle dit. "Ce sont les derniers membres de ma famille que j'aurai jamais. Je veux les voir de mes propres yeux et m'assurer qu'ils sont en sécurité et heureux. Tu ressentirais la même chose si tu étais à ma place".

Il a fait un signe de la main à son équipe. "Ce sont tous des guerriers endurcis avec des années d'expérience au combat. Ils patrouillent dans les montagnes depuis des années. Tu penses vraiment que tu peux les suivre ?"

"Je ne suis pas trop faible pour leur tenir tête", répond-elle. "Le compensateur de rotation a réparé mes muscles, et j'ai passé les mois qui ont suivi ma sortie du coma à travailler pour retrouver toutes mes fonctions."

Il a haussé les épaules. "Je sais, mais....."

"J'ai travaillé à la recherche et au sauvetage en montagne à Prince Rupert pendant six ans", lui a-t-elle dit. "J'ai aussi passé des années dans les montagnes. Je sais que je peux suivre tes hommes si tu me donnes une chance."

Il a froncé les sourcils. "Alors, où est ton matériel ? Tu ne peux pas partir comme ça."

Elle se précipite sur le pont d'observation et revient avec un sac à dos chargé. Elle l'a laissé tomber à ses pieds. Ses yeux se sont écarquillés, mais il n'a rien dit. Il s'est agenouillé et l'a déchirée. Il a inspecté chaque article qui s'y trouve, y compris ses sous-vêtements. Il a vérifié ses réserves de nourriture, son sac de couchage et sa trousse de premiers secours. Puis il a tout remballé et s'est levé.

"Très bien", lui a-t-il dit. "Tu peux venir. Mais je te préviens tout de suite, si tu deviens un danger pour toi-même ou pour quelqu'un d'autre, ou si tu mets en danger la frontière de quelque façon que ce soit, je te renvoie sans poser de questions. Est-ce que c'est clair ?"

Emily n'a pas pu retenir son sourire. " Parfaitement clair. Tu n'as pas à t'inquiéter. Je ne te laisserai pas tomber".

Il s'est pincé les lèvres, mais n'a pas répondu. Il est monté sur le pont d'observation et a sorti quelque chose d'une armoire située dans la barrière de sécurité. Il est revenu à grands pas sur le terrain et lui a tendu un cylindre métallique. "Tu ferais mieux de prendre ça".

Elle l'a regardé, mais ne l'a pas touché. "Qu'est-ce que c'est ?"

"C'est un réciprocateur de phase". Il l'a poussé vers elle, mais elle a gardé les mains le long du corps.

"Réciprocateur de phase ?" a-t-elle répété. "Cela ne me dit rien".

La première pointe d'agacement s'est glissée dans sa voix. Il a de nouveau poussé la chose vers elle. "C'est une arme. As-tu utilisé des armes lors de la recherche et du sauvetage en montagne à Prince Rupert ?"

"Bien sûr", a-t-elle répondu. "Je sais comment tirer".

"Bien, parce que je ne veux pas que tu sortes sans armes". Il l'a tendu. "Prends-le".

Elle a regardé fixement la chose. "Je ne sais pas comment l'utiliser".

Il appuie sur un bouton situé sur le côté du cylindre. "Voici le bouton de mise en marche, et voici le mécanisme de mise à feu. Tu presses ça, et ça se déclenche".

Il a pointé la chose vers la cime des arbres et a serré. Une traînée de bleu électrique a jailli de son extrémité et a heurté une branche. Avec une bouffée de fumée et un craquement sonore, la branche s'est détachée de l'arbre et a heurté le gravier. Faruk a indiqué un autre bouton. "Il s'agit du régulateur de phase. Il te permet de moduler le réciprocateur en fonction de ce que tu veux tirer."

Emily a pris l'appareil et l'a étudié de près. "Je ne comprends pas la moitié de ce que tu dis, mais je suis sûr que je vais trouver."

Faruk s'est retourné. "Bien. Allez, viens. Nous sommes déjà en retard pour partir."

Il s'est dirigé vers son équipe qui, à son approche, a épaulé son sac à dos. Emily a jeté son sac sur son épaule et s'est précipitée à sa suite. Faruk a mis son propre sac sur son dos et l'équipe s'est mise en route pour descendre la montagne, Emily fermant la marche.

Ils ont marché toute la journée sur tous les types de terrain. Emily aurait pu les suivre sans problème après six ans de recherche et de sauvetage en montagne, mais six mois passés sur le dos dans un lit d'hôpital l'ont affaiblie et essoufflée. Même le compensateur de rotation n'a pas pu surmonter l'effet de dépérissement dû à ses blessures et à son coma. Mais elle ne laisserait pas Faruk faire d'elle une menteuse. Elle s'est poussée plus que jamais et n'a jamais quitté l'équipe des yeux.

Faruk menait le groupe loin devant elle, et il ne s'est pas retourné une seule fois pour voir comment elle allait. Mais les autres l'ont fait. L'homme au bout de la ligne s'est arrêté et l'a attendue lors de longues ascensions de cols traîtres et lui a donné à boire de l'eau de sa gourde, mais il ne lui a jamais parlé.

Ils se sont arrêtés à midi sur une crête surplombant des montagnes ondulantes et des vallées sans piste. Emily a creusé ses réserves de nourriture et s'est rempli le ventre. Personne dans l'équipe n'a parlé, et Emily n'a pas osé rompre le silence. Regarder la vue avec sa sueur s'évaporant sur son visage lui a fait retrouver la paix et la parenté des montagnes. Elle ne le savait plus depuis des années, mais sur cette planète étrangère, elle l'a retrouvé comme si elle n'avait jamais quitté la Terre.

Ils ont marché encore et encore jusqu'à la nuit tombée. Faruk a posé son paquetage sur une butte herbeuse près d'un ruisseau murmurant, et son équipe s'est mise au travail pour construire un campement. Un homme a construit un feu et un autre a préparé un repas. Trois autres sont partis dans les arbres avec des haches et ont construit sur le site une petite mais solide collection de huttes faites de fagots de roseaux.

Emily s'est assise sur un rocher et les a observés. Elle aurait aidé si elle avait su ce qu'ils voulaient qu'elle fasse, mais chaque homme connaissait son travail sans qu'on le lui dise. Elle a reposé ses jambes à la place.

Faruk est descendu au ruisseau, et quand il est revenu, il s'est assis par terre à côté d'elle. "Tu t'es très bien débrouillée aujourd'hui. Je suis impressionné."

Elle a secoué la tête. "Ne te laisse pas impressionner. Je n'arrive pas à croire à quel point je suis faible et pas en forme. Je suis gêné. Je ne te reproche pas de ne pas vouloir m'emmener".

"Compte tenu de ce que tu as vécu", a-t-il répondu, "tu t'es très bien débrouillée. Si j'avais su que tu serais comme ça, je ne me serais jamais opposé à ta venue."

"Je ferai mieux demain", lui a-t-elle dit.

"Il n'y aura pas de lendemain", a-t-il répondu. "C'est la frontière. Nous installons un camp ici, et nous nous en servirons comme base pour patrouiller dans la région pendant les six prochains mois."

Emily regarde autour d'elle. "Ça n'a pas l'air d'être une grande frontière".

"Personne n'utilise les zones frontalières entre les factions", a-t-il répondu. "Personne ne veut se faire tirer dessus par accident".

"Comment peux-tu savoir où se trouve la véritable frontière ?" a-t-elle demandé.

"Ce ruisseau se nourrit d'un autre affluent plus loin sur la colline", lui a-t-il dit. "Ce flux est la frontière physique réelle. Quand tu connais les terrains aussi bien que nous, tu sais où tu te trouves par rapport à eux. Mais c'est là que nous sommes le plus près de la frontière. Il vaut mieux rester en retrait et rester en sécurité."

Elle l'a étudié. "Aria a dit que tu aimais les montagnes".

Il a regardé le ciel. "Je ne sais pas comment quelqu'un peut vivre sous terre tout le temps. Je deviendrais fou".

"Mais tu es un homme de médecine", a-t-elle fait remarquer. "Tu pourrais faire tellement de bien en travaillant à l'infirmerie".

Il penche la tête. "Si c'était le cas, je n'aurais pas été là pour te sauver".

Elle a rougi. "C'est vrai. Merci pour cela."

"L'infirmerie n'a pas besoin de moi", a-t-il poursuivi. "Ils ont les meilleurs médecins de la faction. Un bon agent de la patrouille frontalière est bien plus précieux pour notre faction qu'un autre médecin à l'infirmerie."

"Comment peux-tu supporter tous ces combats entre les factions ?" demande-t-elle.

"Je ne me bats pas contre les autres factions", a-t-il répondu. "Quand Donen emmène l'armée combattre les autres factions, nous restons ici. Quelqu'un doit garder nos frontières".

"As-tu déjà participé à des combats avec les autres factions ?" demande-t-elle.

"J'ai combattu les Avitras lorsqu'ils ont attaqué notre ville", a-t-il répondu. "C'était une longue et dure bataille, et nous avions besoin de toutes les mains. Nous nous sommes battus pour nos vies. Même les femmes et les louveteaux se sont battus. La bataille a duré trois semaines, mais nous les avons repoussés à la fin."

"As-tu tué beaucoup d'entre eux ?" murmure-t-elle.

"Un bon nombre d'entre eux", a-t-il répondu. "J'aurais aimé en tuer davantage. S'ils attaquent notre ville et menacent nos familles et nos petits, alors tuer est trop beau pour eux. J'ai même tué le frère d'Aquilla. Aquilla était le plus jeune des frères, et son frère Erius était l'Alpha jusqu'à ce que je le tue dans cette bataille. Ensuite, Aquilla est devenu Alpha. Je suis sûr qu'il a encore une dent contre moi pour cela."

Emily secoue la tête. "Toute cette tuerie".

"Et j'ai combattu les lycaons", a-t-il poursuivi. "C'était il y a longtemps maintenant - il y a peut-être quinze ans. Ils ont envahi notre territoire et mon équipe a été prise par surprise. Ils nous ont cloués au sol et nous nous sommes battus à fond pour les retenir pendant que l'un de nos hommes retournait à la ville pour lever l'armée. Nous avons perdu la moitié de notre patrouille, mais nous avons tenu bon jusqu'à ce que l'armée arrive et sécurise la frontière."

Emily regarde fixement les arbres. "Et il n'y a qu'un petit ruisseau entre toi et eux ? Qu'est-ce qui les empêcherait d'envahir à nouveau ?"

"C'était quand le vieux Rufus était Alpha", a-t-il répondu. "Il est mort maintenant, et son fils Caleb est Alpha. Caleb n'accorde pas d'importance à la lutte. Il en a vu assez sous son père. Maintenant qu'il est Alpha, il veut que son peuple vive en paix."

"Il a l'air d'être mon genre de mec", a murmuré Emily.

Faruk a acquiescé. "Le mien aussi. Plus nous aurons d'Alphas comme lui, mieux ce sera."

"Donen a l'air raisonnable aussi", a-t-elle remarqué. "Il ne voulait pas se battre contre les Felsites, mais il devait le faire. Maintenant, il va faire la paix avec Renier pour éviter toute nouvelle hostilité."

"J'espère seulement que ça va marcher", acquiesce Faruk.

"Pourquoi ne le ferait-il pas ?" demande-t-elle. "Tous les Alphas ne voudraient-ils pas la paix ?"

Il a haussé les épaules. "Ne me demande pas comment les Alphas pensent. Je ne veux pas être un Alpha."

"Mais tu es le commandant de ton équipe", fait-elle remarquer. "Cela fait de toi un Alpha... en quelque sorte".

"Je ne suis pas un alpha", a-t-il répondu. "Cette équipe travaille ensemble. Si l'un d'entre nous pense que nous devrions faire quelque chose, nous écoutons tous et prenons une décision ensemble."

"Tu ne les as pas laissés décider de m'emmener", fait-elle remarquer.

Il a gloussé. "Je ne pensais pas que tu passerais le premier jour. Je pensais que tu abandonnerais après les premières heures et que tu retournerais en ville."

# Chapitre 4

Faruk et Emily se tenaient sur une colline surplombant un filet d'eau. "C'est tout ? C'est la frontière redoutée ?"

Faruk a acquiescé. "C'est ça. Le territoire de Lycaon se trouve de l'autre côté."

"Comment pouvons-nous les contacter ?" a-t-elle demandé.

"Nous ne les contactons pas", a-t-il répondu. "Je ne peux pas m'approcher de la frontière. Si tu veux entrer en contact avec le Lycaon, tu dois le traverser toi-même. Je ne peux pas t'aider."

Elle a fait un pas en avant, mais il l'a arrêtée. "Ne fais pas ça".

"Pourquoi pas ?" demande-t-elle. "Je ne suis pas Ursidrean. Je ne suis pas un ennemi des Lycaons."

"Mais ils ne le savent pas", a-t-il répondu. "Ils verront quelqu'un franchir leur frontière et ils supposeront que tu es hostile. Ils pourraient te tirer dessus à vue".

"Comment nous verraient-ils ?" a-t-elle demandé. "Il n'y a personne ici".

Il a plissé les yeux. "Ils nous observent en ce moment même. Ils ne laissent jamais la frontière sans surveillance."

Elle a fait un autre pas. "Je dois essayer. C'est le seul moyen de retrouver mes sœurs".

Elle descendit la colline à grands pas et s'arrêta au bord de l'eau. Rien d'autre que des arbres, des buissons et des insectes stridents s'étendait jusqu'aux bois de l'autre côté. Elle a fait un autre pas. Une série de rochers sortent du lit du ruisseau pour lui donner un chemin vers l'autre rive.

D'un seul coup, une créature avec des cheveux courts qui lui descendent derrière la tête a surgi de derrière un buisson. Il s'est accroupi de l'autre côté de la rivière et a retroussé ses lèvres en un grognement à l'adresse d'Emily. Il n'était pas assez costaud ni assez poilu pour être Ursidrean, et des oreilles pointues sortaient de ses cheveux. Il s'est accroupi sur la berge et a grogné et sifflé sur Emily. Elle a fait un bond en arrière sous l'effet de la surprise.

En un battement de cœur, Faruk a dévalé la colline d'un bond et a planté ses jambes dans l'herbe à ses côtés. Il a baissé les dents et beuglé contre l'étranger, et il a levé son réciprocateur pour faire feu. Les deux hommes se sont affrontés mortellement, mais aucun n'a traversé le cours d'eau.

Puis une autre silhouette a repoussé les branches et s'est approchée de la frontière. Les yeux d'Emily s'écarquillent de surprise lorsqu'elle reconnaît une femme humaine. Des peaux d'animaux la recouvraient en guise de vêtements, et des dizaines de tresses pendaient dans son dos. Elle porte un épais bâton dans une main et une courte lame courbée dans l'autre. Elle a pris une large position à côté de l'homme aux oreilles pointues et a lancé un regard à Emily et Faruk de l'autre côté de la frontière.

"Retirez-vous !", a crié la femme. "Reculez de la frontière ou nous attaquerons".

Faruk a poussé un rugissement assourdissant et il a bondi vers le ruisseau, mais Emily a sauté sur son chemin et a fait face à la femme. "Je me suis écrasé ici sur un vaisseau romarien. Il s'est brisé dans l'atmosphère avant de s'écraser en territoire lycéen, et je suis tombé en territoire ursidrien. Tu connais le bateau dont je parle ?"

La femme fronce les sourcils. "J'étais sur ce bateau".

Le moral d'Emily a grimpé en flèche et elle n'a pas pu s'empêcher de faire un pas en avant. "Deux de mes sœurs et mon cousin étaient sur ce bateau. Ils se sont écrasés sur le territoire de Lycaon. Je dois les trouver et m'assurer qu'ils sont en sécurité. Peux-tu m'aider ?"

La femme lui lance un regard noir. Puis elle marmonne quelque chose sous sa respiration à l'homme qui se trouve à ses côtés. Il a grogné en retour, mais il n'a pas attaqué. La femme a levé son bâton et l'a pointé sur Faruk. "Restez en retrait. Éloignez-vous de la frontière."

Faruk n'a pas bougé. Le couple qui se trouve de l'autre côté du ruisseau a attendu. Personne n'a bougé d'un poil. Emily a pris une grande inspiration. "Recule, Faruk".

Il retira ses lèvres de ses dents dans un grognement menaçant, et l'homme aux oreilles pointues lui répondit en grognant.

"Recule, Faruk", répète Emily. "Nous ne pouvons pas négocier avec vous deux qui vous tenez à l'écart. Recule, et ils reculeront aussi".

"Ils pourraient attaquer la frontière", a argumenté Faruk.

Emily garde les yeux fixés sur la femme et secoue la tête. "Ces gens ne nous feront pas de mal, et je ne peux pas parler à la femme avec vous qui vous menacez comme ça. Recule."

Faruk n'a pas bougé, mais les poils de sa nuque se sont couchés. Emily a posé sa main sur son bras. Elle n'a rien dit, mais une légère pression de sa main a suffi à le faire reculer vers la colline. Il a fait un pas en arrière et a abaissé son réciprocateur.

L'homme aux oreilles pointues a cessé de grogner. La femme a déplacé son bâton devant lui et l'a guidé en arrière de la frontière. Les deux hommes reculent de quelques pas et s'arrêtent. La femme a pointé du doigt le cours d'eau avec son bâton. "Suis-moi.

Elle descendit à grands pas le long de la berge, et Emily la suivit à la trace. Ils passèrent hors de la vue de Faruk et de son adversaire jusqu'à l'endroit où les arbres se séparent. Un banc de gravier s'étendait au milieu du cours d'eau avec des ruisseaux de part et d'autre.

La femme a accroché sa lame à sa ceinture et a épaulé son bâton. Elle s'est jetée dans l'eau jusqu'à la barre, et Emily l'a imitée pour qu'elles se retrouvent au milieu du cours d'eau. La femme a souri. "Je suis Chris Sebastiani. Enchanté de vous rencontrer."

Emily a tendu la main. "Je suis Emily Allen. Je suis contente que ce soit toi qui surveilles la frontière et pas quelqu'un d'autre. Nos factions pourraient être en guerre en ce moment même si tu n'avais pas été là."

Chris fait un signe de la main. "Ne fais pas attention à Turk. Il ne fait qu'aboyer et ne mord pas."

Emily rit. "Tu n'es pas non plus en danger à cause de Faruk. Il ne veut se battre avec personne, mais il prend son travail de défense de la frontière très au sérieux."

"Peu importe". Chris fait un signe de la main. "Nous pouvons parler ici. Ce bar n'est sur le territoire de personne, et nous n'appartenons à aucune faction. Nous sommes des êtres humains. Nous avons le droit de nous parler".

Emily a éclaté de rire. "Je suis tellement contente de vous avoir trouvés ! Personne ne pouvait comprendre pourquoi j'ai besoin de traverser la frontière, sauf une autre femme. Je suppose que c'est pour cela qu'Aria a été si compréhensive."

Chris penche la tête. "Tu connais Aria ?"

Emily a commencé. "Connais-tu Aria ?"

"Je ne la connais pas", répond Chris. "J'ai seulement entendu parler d'elle. L'une des femmes avec lesquelles elle a atterri est accouplée à notre Alpha."

"Caleb ?" Emily a demandé.

Chris acquiesce. "Et une autre, Carmen, est accouplée à l'Alpha Felsite, Renier".

Les yeux d'Emily se sont agrandis. "Wow. Ils sont partout."

"Il n'y a pas qu'eux", a répondu Chris. "Pénélope Ann est accouplée à Aquilla, l'Alpha d'Avitras".

Emily a jeté un coup d'œil sur le lit du ruisseau. "Et tu es accouplée à ce garde-frontière, Turk".

"Turk n'est pas un garde-frontière", répond Chris. "C'est le frère jumeau de Caleb".

"Qu'est-ce qu'il fait ici à garder la frontière, alors ?" Emily a demandé.

"Il ne garde pas la frontière", répond Chris. "Nous vivons dans la nature depuis plus d'un an. Pendant tout ce temps, nous ne sommes retournés au village que deux fois. Nous sommes seulement descendus à la frontière pour jeter un coup d'œil. Turk dit qu'il y a une sorte de mousse spéciale qui pousse ici et que nous pourrions utiliser pour quelque chose."

"Où as-tu vécu, si ce n'est au village ?" Emily a demandé.

Chris a pointé du doigt le sommet de la montagne qui se profilait au-dessus d'eux. "Là-haut".

Emily a levé son visage vers le ciel. "Pourquoi vis-tu là-haut ? Tu ne veux pas vivre avec ton peuple ?"

Chris a gloussé. "Ne me demande pas pourquoi. C'est comme ça que ça s'est passé. Nous... eh bien, nous voulions juste passer un peu de temps seuls... seuls l'un avec l'autre. Nous n'y sommes jamais retournés. Ne me demande pas pourquoi ça s'est passé comme ça".

Emily l'a étudiée. "Je crois que je comprends".

"Alors tu veux que je trouve tes sœurs et ton cousin pour toi ?". Chris a demandé. "Dis-moi leurs noms et je leur ferai savoir où tu es".

Emily secoue la tête. "Je dois les voir par moi-même".

Chris fronce les sourcils. "Tu devras venir seule. Tu devras laisser tes amis ursidréens derrière toi."

Emily s'est retournée par-dessus son épaule. "Je demanderai à Faruk. Il a assumé la responsabilité de moi en m'amenant ici. Je ne voudrais pas l'abandonner maintenant".

Chris acquiesce. "Fais-le, alors".

Emily a commencé à se détourner. Puis elle s'est arrêtée. " Ton pote, Turk... il ne refusera pas de me laisser passer la frontière, n'est-ce pas ? Il pourrait penser qu'un Ursidréen envahit son territoire."

Chris rit. "Ne t'inquiète pas pour Turk. C'est un chat - ou plutôt un chiot. Tu n'es pas Ursidrean. Tu es humain et tu cherches tes parents humains, rien de plus. Comment peut-il penser que vous êtes en train d'envahir ?"

Emily a haussé les épaules. "Tant que tu es sûre qu'il ira bien, je te fais confiance".

"Nous étions de toute façon sur le chemin du retour au village", poursuit Chris.

"Pour quoi faire ?" Emily a demandé. "Tu ne veux plus vivre sur la montagne ?"

"Je ne veux jamais quitter la montagne", a répondu Chris. "Mais nous avons des affaires familiales inachevées dans le village. Turk veut vivre près de sa famille, et il était le bras droit de Caleb avant son départ. Nous devons rentrer, au moins pour un petit moment."

Emily a hoché la tête et s'est détournée. "Je ferais mieux d'aller parler à Faruk".

"J'espère qu'il n'est pas fâché de te voir partir", remarque Chris.

"En fait, répond Emily, je pense qu'il sera soulagé de se débarrasser de moi".

# Chapitre 5

"Quoi ? !" Faruk a beuglé si fort qu'Emily a sursauté. "Tu ne peux pas partir avec eux. Je ne te laisserai pas faire."

Emily s'est hérissée. "Mais ils vont m'emmener chez mes proches. C'est la raison pour laquelle je suis venu ici".

"Tu ne peux pas aller avec eux", a tonné Faruk. "Ce n'est pas sûr. Pour ce que tu en sais, ils pourraient t'emmener derrière la prochaine colline et te couper la gorge."

"Ils ne feront pas ça", a répondu Emily. "Chris est vraiment très gentil. Elle est de toute façon sur le chemin du retour au village, et elle était sur le même bateau que moi quand nous nous sommes écrasés. Nous pourrions tout aussi bien être sœurs."

Faruk fronce les sourcils. "Tu ne peux pas faire ça".

"C'est la raison pour laquelle je suis venue ici", lui a dit Emily. "C'est la meilleure chose qui pouvait arriver".

Faruk a levé les mains et s'est détourné. Il a reniflé, mais il n'a rien dit.

"Je pensais que cela te ferait plaisir", a poursuivi Emily. "Je pensais que tu serais soulagée de me débarrasser de tes mains. Tu ne voulais pas que je vienne, et maintenant je pars avec quelqu'un d'autre. Vous pouvez retourner patrouiller à la frontière avec vos guerriers endurcis."

Il s'est retourné et l'a regardée avec insistance. "C'est ce que tu pensais ?"

"Pourquoi ne le penserais-je pas ?" demande-t-elle. "C'est ce que tu as dit".

Elle l'a à peine entendu. "C'était avant".

Elle a fixé l'arrière de sa tête, mais avant qu'elle ne puisse dire quoi que ce soit, il s'est éloigné, retournant au camp. Elle a jeté un coup d'œil en arrière vers le ruisseau. Chris et Turk l'attendaient là. Elle devrait s'éloigner et les rejoindre maintenant, mais elle ne peut pas. Elle doit d'abord régler les choses avec Faruk. Elle lui devait bien ça.

Elle est retournée au camp, mais il n'était pas là. Elle a retrouvé Marlo, l'homme qui l'a attendue pendant le voyage. "Où est Faruk ?

Il a donné un coup de pouce par-dessus son épaule. "Il a remonté le ravin".

"Qu'est-ce qu'il fait ?" Emily a demandé.

"Je pense qu'il est parti à la chasse", a répondu Marlo. "Il a emmené son réciprocateur avec lui".

Emily hésite. Elle devrait le laisser tranquille, mais quelque chose la pousse à aller de l'avant. Elle a suivi les indications de Marlo et s'est dirigée vers le tirage au sort. Elle a trouvé Faruk en train d'éplucher l'écorce d'un bâton avec sa lame. "Ai-je dit quelque chose qui t'a offensé ?"

"Pas du tout", a-t-il répondu. "Je ne m'attendais pas à ce que tu partes si tôt. Je pensais que tu resterais ici un moment".

"Je ne m'attendais pas non plus à partir si tôt", a-t-elle répondu. "Si nous n'avions pas rencontré ces gens, je serais restée ici pendant des mois, à attendre que quelqu'un se présente pour transmettre notre message aux Lycaons. Maintenant, ils me proposent de m'emmener au village où se trouvent mes sœurs. On dirait que c'est un rêve qui devient réalité."

Il a reniflé. "Un rêve devenu réalité. Oui."

Elle le regarde fixement. "Je ne te comprends pas du tout. J'en ai été aussi soulagée pour toi que pour moi. Je n'ai jamais voulu m'imposer à toi."

Il lui a lancé un regard dur, mais aussi vite, il s'est détourné et est retourné à son travail de trituration. "Tu ne m'as jamais imposé".

"J'apprécie vraiment que tu m'aies amenée ici", lui a-t-elle dit. "Je n'aurais jamais rencontré ces gens si tu ne l'avais pas fait".

Il n'a pas levé les yeux. "J'espère que tu trouveras ce que tu cherches".

"Y a-t-il un moyen de vous remercier ?" a-t-elle demandé. "D'abord tu m'as sauvé la vie, et maintenant j'ai une autre dette envers toi. Si je peux faire quelque chose pour te rembourser, dis-le moi."

"Tu ne me dois rien", a-t-il répondu. "Je ne veux pas de ta gratitude".

"Qu'est-ce que tu veux, alors ?" demande-t-elle. "Je ne te comprends pas du tout. Je ne comprends pas ce que j'ai fait pour te mettre en colère."

"Je ne suis pas fâché", a-t-il répondu.

"Alors pourquoi ne me regardes-tu pas ?" demande-t-elle. "Tu ne m'as pas dit un mot civil depuis que je suis revenu de la rivière".

Il a jeté le bâton au loin et s'est arrondi sur elle avec ses dents. "N'est-ce pas évident ? Je ne veux pas que tu partes".

Sa mâchoire s'est décrochée. "Mais je pensais que c'était le cas. Tu as dit que tu ne voulais pas avoir la responsabilité d'amener une personne non formée à la frontière où je pourrais être un danger pour moi-même ou pour l'un des membres de ton équipe."

"Je te l'ai dit, c'était à l'époque", a-t-il répondu. "Je.....I ai changé d'avis".

Elle le regarde fixement, la bouche ouverte. "Es-tu en train de dire..... es-tu en train de dire que tu veux vraiment que je reste ?"

"Ce n'est pas ce que je viens de dire ?" demande-t-il.

Emily déglutit difficilement. "Tu ne veux pas que je parte".

Faruk a levé les deux mains et s'est éloigné en tournoyant. "Oh, pour l'amour du ciel ! Peux-tu arrêter de répéter cela encore et encore ? Je ne voulais pas t'emmener parce que je ne pensais pas que tu serais capable de te débrouiller seule ici. Je pensais que tu serais à la traîne, que tu pleurerais et te plaindrais parce que la piste est trop accidentée, que l'équipe va trop vite et qu'il faut tout le temps s'arrêter pour se reposer. Je pensais que tu ferais des histoires à propos de notre camp et du fait que nous restions si loin de la ville. Je pensais que tu craquerais et que tu t'enfuirais chez toi à la première occasion."

"Mais je n'ai rien fait de tout cela", a-t-elle répondu.

Il a hoché la tête. "J'ai été surpris....et impressionné. I....Je crois que j'avais hâte de passer un peu de temps avec toi ici....avec personne d'autre autour, sans qu'Aria te tienne la main tout le temps."

Emily a cligné des yeux. "Oh."

Il s'est pincé les lèvres. "Alors c'est ça. Maintenant que tu t'en vas, oublie tout ça. Allez-y, partez, et oubliez mon existence." Il s'est éloigné de quelques pas.

Emily a scruté son dos. De toutes les issues possibles auxquelles elle s'attendait, c'était la dernière. Qu'est-ce qu'elle va faire maintenant ? Elle s'est approchée derrière lui et a posé sa main sur son épaule. "Je ne partirai pas".

"Tu devrais", a-t-il répondu. "Tu devrais aller trouver tes sœurs".

"Je ne partirai pas, maintenant que je sais que tu ressens cela", a-t-elle répondu. "Je ne savais pas avant, mais maintenant que je sais, je ne partirai pas".

Il lui a serré la main. "Ne reste pas par pitié pour moi. Je ne pouvais pas supporter cela."

Emily s'est claqué les lèvres. Cette fois, elle a posé ses deux mains sur ses épaules et l'a retourné pour qu'il lui fasse face. "Je ne partirai pas, Faruk, et je ne resterai pas par pitié. Mes sœurs ne vont nulle part. Où qu'ils soient, s'ils sont vivants ou morts, je pourrai les retrouver plus tard. C'est plus important."

Il a froncé les sourcils, mais n'a pas répondu.

"J'ai ressenti la même chose pour toi", lui a-t-elle dit. "Je me réjouissais de passer les deux prochains mois ici et d'apprendre à te connaître. Si je pars, je ne te reverrai probablement jamais".

"C'est peut-être mieux ainsi", a-t-il remarqué.

Emily secoue la tête. "Non, je reste. Je ne sais pas quand j'aurai à nouveau l'occasion de traverser le territoire lycaon pour les retrouver, mais quelque chose se présentera."

Il l'a étudiée. "Tu es sûr de toi ?"

Elle a acquiescé, et elle n'a pas pu empêcher un sourire de s'étendre sur son visage. "J'en suis sûre. Je vais aller dire à Chris que je ne viens pas. Ils veulent se mettre en route vers leur village. Ils ne voudront pas attendre".

Elle a commencé à s'éloigner, mais il l'a attrapée par la main et l'a retenue. "Attends."

Ses yeux se sont agrandis. "Quoi ?"

Tout à coup, ils se rendent compte que leurs mains sont liées. Faruk a jeté un coup d'œil à la main qu'elle tenait dans la sienne. Emily est passée d'un pied à l'autre, mais aucun des deux n'a rompu ce lien. Ils ne se lâcheraient plus jamais l'un l'autre.

Il n'a rien dit. Il n'était pas obligé de le faire. Il s'est mis à ses côtés et ils se sont promenés le long du chemin de halage en direction du camp des Ursidres. Ils l'ont traversé de part en part et ont continué à marcher. Seul Marlo les a vus, et il a souri quand ils sont passés.

Faruk s'est assis sur un tronc tombé qui surplombe le ruisseau, et Emily s'est assise à côté de lui en lui tenant toujours la main. Ils se sont assis en silence et ont écouté l'eau couler sur les pierres. Le soleil jouait sur les turbulences du courant.

Emily a rompu le silence. "Ils sont là quelque part".

"Tu les trouveras, tôt ou tard", a-t-il répondu. "Tu es déterminé à les trouver, et tu le feras".

"Je ne parle pas d'eux", a répondu Emily. "Je voulais dire Chris et Turk. Ils sont quelque part de l'autre côté de la frontière et m'attendent."

"Va les trouver et dis-leur que tu ne viens pas", lui a-t-il dit.

Emily secoue la tête. "Pas encore".

Au même moment, ils se sont retournés pour se faire face, et une éternité de sens est passée entre eux en un seul regard.

"C'est pour cela que tu restes si souvent à l'écart de la ville ?" demande-t-elle.

"Je me suis toujours dit que je voulais une femme de la patrouille frontalière", a-t-il répondu. "J'ai toujours pensé que si une femme ne pouvait pas faire ce travail, je ne voulais pas d'elle".

"Les femmes travaillent-elles dans la patrouille frontalière ?" a-t-elle demandé. "Je croyais que les équipes étaient composées uniquement d'hommes".

"La plupart des équipes comptent au moins une ou deux femmes", a-t-il répondu. "Certains d'entre eux ont même des femmes commandantes. Nous sommes l'exception. Nous avons perdu les femmes que nous avions lors de cette bataille contre les Lycaons."

"Cela a dû être difficile", a-t-elle remarqué. "As-tu eu des relations avec ces femmes ?"

"Des relations ?" a-t-il répété. "Qu'est-ce que tu veux dire ?"

"Aviez-vous un lien particulier avec les femmes qui sont mortes ?" demande-t-elle.

"J'avais des liens particuliers avec chacun d'entre eux", a-t-il répondu. "Ils ont été mes camarades à la frontière pendant des années".

Emily a rougi. "Je veux dire que l'un d'entre eux était ton compagnon spécial - je veux dire, un compagnon intime ?".

"Tu veux dire comme un compagnon ?" a-t-il demandé.

"Oui. C'est ce que je veux dire", a-t-elle répondu.

"Non, je n'ai jamais eu de compagne", a-t-il murmuré.

"Jamais ?" demande-t-elle. "Comment est-ce possible ?"

Il a fait une pause jusqu'à ce qu'elle pense qu'il ne répondrait pas. "Je n'ai jamais eu de compagnon. Je connaissais quelques femmes en ville, mais je ne suis jamais resté assez longtemps pour développer un lien à long terme avec elles. Et une fois que tu as été camarade avec quelqu'un de la patrouille frontalière, tu commences à les considérer comme ta famille, comme tes frères et sœurs. Tu ne t'accouplerais jamais avec quelqu'un comme ça".

"Alors tu ne trouverais jamais une femme de la patrouille frontalière pour être ta compagne", a-t-elle fait remarquer. "Tu serais dans une double contrainte".

Il a gloussé. "C'est vrai."

"Il se fait tard", a-t-elle murmuré. "Nous devrions retourner au camp. Le soleil va bientôt se coucher."

"Tu as faim ?" demande-t-il. "Marlo va préparer le repas du soir maintenant".

"Je n'ai pas faim", a-t-elle répondu. "Mais tu n'as pas vraiment envie de passer la nuit ici, n'est-ce pas ?".

"Ça ne me dérangerait pas", a-t-il répondu. "Je ne veux pas encore te laisser partir".

# Chapitre 6

Emily s'est redressée. Les premières traînées froides de l'aube éclairent la cabane. La brume enveloppe le camp, et seul un autre homme est réveillé. Elle a porté une bassine jusqu'au ruisseau et est revenue avec elle pleine d'eau. Faruk se tenait dans l'embrasure de la porte de sa propre hutte.

"Je ne m'attendais pas à ce que tu sois debout si tôt", a-t-elle remarqué.

Faruk a fait le tour du camp. "Je viens avec toi".

Emily s'est figée. "Venir où ?"

"Au village de Lycaon", a-t-il répondu. "J'y ai réfléchi. Tu ne dois pas gâcher cette chance de retrouver tes sœurs. Ce serait stupide. Aucun de nous ne veut se séparer, alors nous irons ensemble."

Elle a commencé à protester, mais s'est arrêtée. C'était la solution parfaite à son problème. "Et Turk ? Il n'était pas content que tu franchisses la frontière".

"Ce n'est pas grave", a-t-il répondu. "Un Ursidréen ne constitue pas une invasion. Il le comprendra, et s'il ne le comprend pas, son compagnon l'aidera à le comprendre."

Emily sourit. "On dirait que ce sont les femmes qui mènent la danse à Angondra".

Faruk soupire. "Ça a toujours été comme ça. Je suis sûr que les autres factions sont les mêmes que les Ursidréens. Nous avons des mâles alpha, mais ce sont les femmes qui prennent les décisions et guident les gens."

Emily a jeté un coup d'œil vers le ruisseau. "Je me demande s'ils sont encore là".

"Ils sont là", lui a-t-il dit.

"Comment peux-tu en être certain ?" a-t-elle demandé.

"Je les entends. Il a pointé du doigt le lit de gravier où Chris et Emily se sont rencontrés. "Ils sont en bas, en train de chercher de l'eau pour leur repas du matin".

"Comment peux-tu entendre ça ?" Emily a demandé.

Faruk a haussé les épaules. "Je peux l'entendre".

Emily s'est dirigée vers le bas de la colline. "Je ferais mieux d'aller leur dire que tu as l'intention de venir avec moi".

Il a posé une main sur son bras. "Je viens avec toi. À partir de maintenant, partout où tu vas, je vais."

Ses yeux se sont écarquillés, mais elle n'a pas discuté. Ils ont descendu la colline ensemble. Emily jette un coup d'œil vers le camp. "Tu ferais mieux de dire à quelqu'un que tu pars. Quelqu'un devra prendre la relève."

"Marlo le sait déjà", a-t-il répondu.

"Quand as-tu parlé à Marlo ?" demande-t-elle.

"Je n'ai pas eu à lui parler", répond Faruk. "Il nous a vus ensemble hier. Il comprendra que nous sommes partis ensemble".

"Tu es sûr ?" Emily a demandé. "Tu ne veux pas lui expliquer ?"

"Non", a-t-il répondu.

Ils ont trouvé Turk et Chris de l'autre côté du ruisseau, là où Faruk avait dit qu'ils seraient. Turk s'est hérissé en apercevant Faruk, mais Chris a souri à Emily. "Je me demandais où tu étais passée. Es-tu prêt à partir ?"

Emily fait un signe de la main. "Faruk vient avec nous. J'espère que cela ne te dérange pas."

"Un Ursidrien ne peut pas franchir la frontière", a grogné Turk.

"Un Ursidréen ne fait pas une invasion", lui a dit Emily. "En plus, vous risquez tous les deux de me trancher la gorge dès que nous aurons contourné la prochaine colline. Il doit venir avec moi pour s'assurer qu'il ne m'arrive rien."

Turk lui lance un regard noir. "Nous ne perdrions pas notre temps à te couper la gorge derrière la colline. Si nous ne voulions pas que tu pénètres sur notre territoire, nous ne t'emmènerions pas."

Chris lui a touché le bras. "S'il veut venir, qu'il vienne".

"Les guerriers n'aimeront pas ça", lui a-t-il dit.

"Tu peux leur expliquer". Chris s'est essuyé les mains sur un chiffon. "Si tu es prête à partir, nous pouvons partir maintenant".

"Nous sommes prêts". D'un pas, Emily a franchi la frontière du territoire lycéen. Un frisson lui parcourut les jambes, mais ses pieds reposaient sur le même sol solide qu'en territoire ursidéen.

Faruk a hésité à traverser. Chris a murmuré sous sa respiration. "Peut-être que ce n'est pas une si bonne idée. Nous ne voulons pas créer d'incident."

Emily a fait un pas en avant. "Ce n'est pas grave. Il a gardé la frontière pendant des années, et maintenant il doit la traverser." Elle a tendu la main à Faruk.

Il a fixé ses yeux sur son visage et lui a pris la main. En un instant, le lien indéfectible qui les unissait a forgé un lien à travers le ruisseau, et il a franchi la brèche. Son pied s'ancre sur la terre ferme, et le groupe se déplace vers le haut de la colline.

Au sommet, Emily s'est retournée. Le territoire ursidréen s'étendait à l'abri des regards jusqu'aux montagnes situées au-delà. Marlo se tenait sur le sommet de la colline, de l'autre côté du ruisseau. Il a levé la main et Emily lui a répondu par un signe de la main. Puis les arbres l'ont engloutie.

Emily s'est installée pour une autre longue journée de randonnée à travers l'épaisse forêt, et elles ne se sont pas arrêtées avant le coucher du soleil. Chris et Turk ont établi leur camp sur une crête surplombant une vallée fluviale qui descend vers de vastes plaines ouvertes. "C'est ça".

Emily regarde autour d'elle. "Qu'est-ce que c'est ?"

Chris a pointé du doigt une brume suspendue au-dessus de la canopée de la forêt. "C'est le village".

Emily fronce les sourcils. "C'est un nuage".

Chris s'est moqué d'elle. "C'est de la fumée, idiot. C'est la fumée de leurs incendies. Lorsqu'il n'y a pas de vent, il s'accumule entre ces crêtes et ne s'envole pas, si bien qu'il ressemble à de la brume."

Faruk est venu à ses côtés. "C'est encore un long chemin à parcourir. Nous n'arriverons pas avant demain en fin de journée."

"Cela semble si proche", remarque Emily. "Tu pourrais tendre la main et la toucher".

"Je devrais te prévenir", lui a-t-il dit. "Les Lycaons ont une vie assez rude. Ils n'ont pas d'électricité, et ils chauffent toute leur eau pour se laver et cuisiner sur des feux ouverts."

Emily regarde la brume. "Je l'ai deviné à la fumée".

"Ils n'ont pas le confort auquel tu es habitué à Harbeiz", lui a-t-il dit.

"J'ai déjà passé du temps dans les montagnes", lui a-t-elle dit. "D'ailleurs, d'après ce que tu dis, ça ne semble pas très différent de ton camp à la frontière".

Il a haussé les épaules. "Je suppose que non".

"As-tu déjà vu le village de Lycaon ?" demande-t-elle.

"Non, je ne l'ai jamais vu", a-t-il répondu.

"Alors comment sais-tu que c'est rugueux ?" demande-t-elle.

Il est passé d'un pied à l'autre. "Je crois que je ne le fais pas, vraiment. Je ne sais que ce que j'ai entendu".

"De qui as-tu des nouvelles ?" demande-t-elle. "D'autres Ursidréens ont-ils visité le territoire de Lycaon ?"

"Pas que je sache. Nous n'avons entendu que des choses....." Il s'est interrompu.

"Cela ressemble à un cas typique de préjugé", lui a-t-elle dit. "Tu ne sais vraiment rien d'eux, alors tu inventes des histoires sur le fait qu'ils vivent à la dure, sans électricité, et qu'ils cuisinent sur des feux ouverts alors que tu fais la même chose. C'est comme ça que les guerres commencent."

Il a changé de sujet. "Comment as-tu fini par passer autant de temps dans les montagnes ? Comment en es-tu venu à travailler dans le domaine de la recherche et du sauvetage en montagne ?"

"J'ai suivi un cours de premiers secours au lycée", a-t-elle répondu. "Cela a conduit à un cours de premier répondant plus avancé. À la fin du cours, l'instructeur m'a dit que je devais partir en recherche et sauvetage, alors je l'ai fait."

"Tu as dû être bonne, pour rester avec elle aussi longtemps que tu l'as fait", a-t-il fait remarquer.

"Je suppose que j'ai été bonne", a-t-elle répondu. "J'ai adoré ça et j'ai participé à toutes les formations. Je ne me suis jamais lassée d'apprendre de nouvelles choses et de me lancer des défis."

"Le reste de ta famille était-il impliqué ?" a-t-il demandé.

Elle a fait une grimace. "Non, aucun d'entre eux n'a jamais été intéressé par ce genre de choses. Ma famille a toujours été très sédentaire. Ils n'ont jamais rien fait de physique et n'ont jamais compris pourquoi j'aimais tant la recherche et le sauvetage. Ils avaient l'habitude de faire des blagues méchantes à ce sujet." Elle s'est détournée.

Faruk a suivi son regard vers le bas de la colline. "Je suis désolé d'en parler".

"Ne le sois pas", a-t-elle répondu. "Je suis content de mettre cette partie de ma vie derrière moi".

"Tu peux passer tout le temps que tu veux dans les montagnes ici", lui a-t-il dit. "Les Ursidréens appartiennent aux montagnes. C'est ce qui nous différencie des autres factions."

Emily penche la tête. "Tu veux savoir quelque chose d'intéressant ? Mon père avait l'habitude de dire le même genre de choses sur la recherche et le sauvetage que ce que tu viens de dire sur le Lycaon. Il ne comprenait pas pourquoi quelqu'un voudrait transpirer et souffler pour faire une randonnée dans une montagne, juste pour pouvoir camper dans une tente minable sans électricité, sans eau chaude et sans télévision par câble. Il pensait que toute personne qui faisait ça devait avoir une sorte de maladie mentale."

Faruk soupire. "Je comprends pourquoi tu es heureuse de t'éloigner. Ton mari était-il pareil ?"

"Non, non", a-t-elle répondu. "Je l'ai rencontré lors d'une opération de recherche et de sauvetage. Nous l'avons fait ensemble pendant trois ans avant de nous marier."

"Et après ça ?" a-t-il demandé.

"Après cela, j'étais trop occupée à l'aider à élever les enfants pour avoir le temps de faire de la recherche et du sauvetage. Puis, après sa mort, tout cela a perdu de son attrait pour moi. Je n'étais pas allé dans les montagnes depuis sa mort - jusqu'à aujourd'hui."

Il l'a prise dans ses bras au niveau des épaules.

"Et toi ?" demande-t-elle. "Comment es-tu entré dans la patrouille frontalière ?"

"J'ai été appelé quand j'avais cinq ans, comme tous les autres louveteaux d'Ursidrean", a-t-il répondu.

Les yeux d'Emily se sont ouverts. "Cela signifie-t-il que les Ursidréens ont une sorte d'appel militaire ? Je ne le savais pas."

Il a hoché la tête. "Ce n'est pas vraiment un projet militaire. C'est une réserve de main-d'œuvre civile. Lorsqu'un louveteau arrive à maturité, tu te présentes au bassin d'emploi pour être affecté. Si tu as suivi une formation spéciale avant cela, tu es affecté à ta spécialité. Si tu ne le fais pas, ils peuvent t'affecter là où ils ont besoin de monde. Il peut s'agir de l'armée, de la patrouille frontalière ou de n'importe quel poste civil de la ville. Tu ne sais jamais où tu vas finir".

"Et ensuite, tu restes là toute ta vie ?" demande-t-elle. "Est-ce que cela devient ta vocation permanente ?"

"Seulement si tu veux qu'il en soit ainsi", a-t-il répondu. "Si ça ne te plaît pas et que tu veux faire autre chose, le bassin d'emploi t'affecte ailleurs."

"C'est donc ce qui t'est arrivé ?" demande-t-elle. "Ils t'ont affecté à la patrouille des frontières ?"

"Non", a-t-il répondu. "J'ai reçu une formation médicale spéciale et une formation à la gestion des catastrophes dès mon passage à l'académie. Ils m'ont affecté à l'infirmerie".

Emily a sursauté. "L'infirmerie !"

"Tu ne savais pas, n'est-ce pas ?" a-t-il demandé. "Je voulais être médecin".

"Qu'est-ce qui s'est passé ?" demande-t-elle. "Je croyais que tu n'aimais pas l'infirmerie".

Il a ri. "Et maintenant, tu sais comment j'ai atterri ici. J'ai dit au bassin d'emploi que je ne voulais pas rester sous terre dans la ville pour le reste de ma vie. Ils m'ont demandé si je voulais toujours faire du travail médical et de la gestion des catastrophes, et j'ai dit oui. Alors ils m'ont envoyé à la patrouille frontalière pour être infirmier. Fin de l'histoire."

"Et tu es là depuis", conclut-elle.

Il a hoché la tête. "J'ai été heureux ici".

Elle l'a regardé. "Et tu n'as jamais eu envie de retourner en ville ?"

"Pas du tout". Il penche la tête. "Pourquoi demandes-tu cela ?"

"Et si tu trouves un compagnon ?" a-t-elle demandé. "Et si tu avais tes propres petits ? Tu ne pourrais pas les élever ici".

"Pourquoi pas ?" demande-t-il.

Elle regarde autour d'elle. "Où resteraient-ils ? Où naîtront-ils ? Comment apprendraient-ils ce que signifie être ursidéen ?"

"Je leur enseignerais ce que signifie être Ursidrean". Il a souri. "Je suis Ursidrean.

"Mais ils ne sauraient pas à quoi ressemble la ville", a-t-elle fait remarquer.

"Il n'y a pas que la vie en ville pour être Ursidrean", a-t-il répondu.

"Tu sais ce que je veux dire", lui a-t-elle dit. "Ils n'auraient pas accès à l'Académie et à toutes les autres ressources que la ville a à offrir".

"Je croyais que tu aimais les montagnes", a-t-il rétorqué.

Elle est devenue rouge vif. "Qui a parlé de moi ? Nous parlons de toi."

Il regarde en arrière dans la vallée. "D'accord."

"Ne me dis pas que tu n'as jamais pensé à ces choses-là", lui a-t-elle dit. "Ne me dis pas que tu n'as jamais réfléchi une seule fois à ton avenir".

"J'y ai réfléchi", a-t-il répondu. "Mais comme je n'ai pas de compagnon et que je ne risque pas d'avoir des petits de sitôt, quel est l'intérêt de tout planifier ?". Si j'avais un compagnon qui voulait vivre en ville, je suppose que je devrais m'en occuper le moment venu."

Emily garde le silence. Il lui a caressé le bras et a pressé sa main, mais elle n'a pas répondu.

"Pourquoi prenez-vous ce sujet si au sérieux ?" a-t-il demandé.

"Tu sais pourquoi", a-t-elle murmuré.

"Dis-moi quand même", lui a-t-il dit. "Je veux t'entendre le dire".

"Nous voilà, nous tenant par la main et nous serrant l'un contre l'autre", a-t-elle répondu. "Tu as dit que tu ne voulais pas que je parte, que tu avais hâte de passer du temps avec moi et d'apprendre à mieux me connaître, et maintenant nous sommes ensemble au fin fond du territoire de Lycaon. Sommes-nous en passe de devenir des compagnons ? Ou est-ce que c'est juste une balade à travers la campagne, pour prendre du bon temps tant que ça dure ?".

"Nous ne sommes pas en train de faire une balade dans la campagne", lui a-t-il dit. "Nous ne serions pas ensemble au fin fond du territoire de Lycaon si c'était le cas. J'aurais choisi un endroit beaucoup plus hospitalier pour t'emmener faire un tour de manège."

Emily secoue la tête. "Ensuite, nous devons réfléchir à la direction que cela va prendre. Sommes-nous en passe de devenir des compagnons ?"

Il penche la tête d'un côté. "Je ne sais pas. C'est le cas ?"

"C'est ce que tu veux ?" demande-t-elle.

"C'est ce que tu veux ?" a-t-il demandé.

Elle s'est claqué les lèvres. "Arrête de répéter la dernière chose que j'ai dite et réponds-moi".

"D'accord", a-t-il répondu. "Cela ne me dérangerait pas si nous étions en passe de devenir des copains. En fait, j'en serais ravi. Là. Je l'ai dit. Es-tu satisfait ?"

Elle s'est détendue et a serré sa main. "Bien. C'est aussi ce que je ressens. Mais je ne voudrais pas que tu abandonnes ta vie dans les montagnes pour moi si tu n'en as pas envie."

"Et je ne voudrais pas que tu vives comme Chris et Turk si tu n'en as pas envie", a-t-il répondu. "Ce n'est pas parce que vivre dans les montagnes le long de la frontière a fonctionné pour moi pendant toutes ces années que cela fonctionnera pour toi - ou pour nous, si on en arrive là."

Emily fronce les sourcils. "Je suis heureux que nous soyons d'accord sur ce point, mais cela ne nous rapproche pas de la résolution du problème."

"Il n'y a pas de problème", a-t-il répondu. "Nous ne sommes pas copains".

"Quand est-ce que nous serons ?" a-t-elle demandé. "Quand est-ce qu'on saura au moins si on va l'être ?"

Il a haussé les épaules. "Devons-nous répondre à toutes les questions de la vie dès maintenant ?"

Emily a fermé les yeux et levé son visage vers le ciel rougeoyant du coucher de soleil. "Non, nous n'en avons pas."

# Chapitre 7

Le lendemain matin, ils descendirent la pente et, avant qu'une heure ne s'écoule, ils arrivèrent en vue d'un groupe de huttes en bâtons pas très différentes de celles construites par les gardes-frontières ursidréens. Des gens comme Turk, avec des cheveux de différentes teintes qui leur courent sur le visage et le long du cou, avec des oreilles pointues et des corps anguleux et râblés, se sont regroupés parmi les maisons. Les femmes tiennent les enfants entre leurs genoux et les hommes de tous âges travaillent autour du village.

À l'instant où le groupe est arrivé en vue du village, un homme de grande taille s'est levé d'un bond après avoir jeté des pierres sur le sol au milieu d'un groupe de jeunes. Il a traversé la clairière à grands pas et a jeté ses bras autour de Turk. Ils se sont serrés l'un contre l'autre, et le grand homme a beuglé vers les cieux.

Lorsqu'il l'a tenu à bout de bras, un sourire glorieux a illuminé le visage de Turk. Emily n'aurait pas su qu'il s'agissait du même homme que celui qui a affronté Faruk de l'autre côté de la frontière. Il s'est tourné vers Emily. "Voici mon frère, Caleb".

Les yeux de Caleb se sont portés sur Faruk, mais il n'a donné aucun signe d'alarme. Il a tendu la main à Emily. "Bienvenue. Viens avec moi dans ma maison".

Puis il a jeté ses bras autour de Chris. "Où étais-tu ? Nous attendons depuis longtemps que vous reveniez tous les deux. Non, ne me dis pas où tu as été. Je ne veux pas savoir. Vous êtes de retour maintenant, et vous êtes ensemble. Cela me dit tout ce que j'ai besoin de savoir".

Turk et lui ont ri et se sont tapé dans le dos. Chris efface une larme du coin de l'œil. "C'est bon de te revoir, Caleb. Comment va Marissa ?"

"Elle va très bien", a répondu Caleb. "Mais elle n'est pas là pour l'instant. Elle s'est rendue dans un autre village pour rendre visite à une femme malade après son accouchement. Elle regrettera de ne pas avoir été là pour t'accueillir à la maison."

"Nous la verrons à son retour", a répondu Chris.

Caleb a ouvert la voie vers une cabane sans prétention à la périphérie du village. Il s'est accroupi sur le sol en terre battue et a fait signe au groupe de faire de même. "Voici Emily Allen", lui dit Chris. "Elle est tombée du même vaisseau romarien que celui dans lequel nous nous sommes écrasés, et elle a atterri en territoire ursidéen."

Caleb a de nouveau jeté un coup d'œil à Faruk. "Je suis désolée d'entendre ça".

"Merci", a répondu Emily. "Deux de mes sœurs et mon cousin étaient sur le même bateau, et je suis venu pour savoir s'ils sont ici. Je ne pouvais pas me reposer tant que je ne les avais pas revus."

Caleb a hoché la tête. "Je comprends. Nous ferons ce que nous pourrons pour les retrouver."

"Toutes les femmes de l'accident sont-elles ici au village ?". Chris a demandé. "Un an s'est écoulé depuis leur atterrissage. Ils pourraient être n'importe où à l'heure qu'il est."

"Quels sont leurs noms ?" demande Caleb.

"Ma cousine s'appelle Aimee Sandoval", lui a dit Emily. "Mes sœurs sont Frieda et Anna Evans".

Il a secoué la tête. "La personne à qui il faut demander est Marissa. Elle connaît le nom de tous les survivants de l'accident et sait où ils se trouvent. Certains n'ont pas survécu aux blessures qu'ils ont reçues dans l'accident, et d'autres ont quitté les Lycaons pour d'autres factions. Je ne les connais pas aussi bien qu'elle, alors tu devrais attendre qu'elle revienne."

Emily s'est raidie. "Si l'une de mes sœurs est morte, je veux le savoir le plus tôt possible. N'y a-t-il pas un moyen de le découvrir avant qu'elle ne revienne ?"

Caleb s'est assis sur ses talons. "Je demanderai à ma mère. Elle le saura."

Il a commencé à se lever, mais Turk l'a arrêté. "Je vais y aller".

Les yeux de Caleb se sont ouverts. Puis il a ri et s'est de nouveau accroupi pendant que Turk sortait. "Il a toujours été un fils à maman". Il a touché le bras de Chris. "Je dis ça de la façon la plus gentille possible".

Chris rit, mais ses yeux brillent de larmes. "Je le sais. Il a beaucoup pensé à elle ces derniers temps et il voulait revenir ici pour la revoir... et toi, Caleb."

Caleb a balayé ses commentaires du revers de la main. "Il ne voulait pas voir le vilain vieux moi, pas quand il t'avait pour lui tenir compagnie. Il savait que je ne ferais que le remettre au travail avec les guerriers, comme je l'avais fait avant son départ. Je ne lui reproche pas d'avoir passé un an dans les montagnes au lieu de rentrer à la maison."

Chris lui a serré la main. "Il est content d'être de retour. Vous lui avez tous manqué".

Turk est revenu. "Ton cousin est ici. Elle pourra te dire où sont tes sœurs."

"Sont-ils vivants ?" Emily a chuchoté.

"Ma mère dit qu'ils ont tous les deux survécu à l'accident", a répondu Turk, "mais seule Aimee sait où ils sont maintenant. Attends un peu. Mon neveu est allé la chercher". Il s'est accroupi à côté de son frère.

Caleb s'est occupé du feu pour faire infuser du thé pendant que Turk et lui discutaient de la politique des factions. "Tu te souviens de Ronin, le grand gris qui a essayé de te battre à la course à pied lors du dernier festival d'été ? Il t'a couvert à la frontière".

Turk fronce les sourcils. "Je ne l'ai pas vu sur le terrain. Je n'ai vu aucun de nos guerriers là-bas. J'espère que vous ne négligez pas notre frontière".

Caleb a jeté un coup d'œil à Faruk. "Il est à la frontière d'Avitras, et non, je ne néglige pas notre frontière. Les guerriers sont tous postés sur les hauteurs pour surveiller la ligne orientale. Ils peuvent voir plus de choses de là-haut que dans les vallées."

Turk a hoché la tête. "Je suis restée trop longtemps à l'écart. Je serai heureux de remettre la main à la pâte."

Caleb a gardé les yeux baissés. "Qu'as-tu vu d'autre à la frontière ursidréenne ?"

Turk a tapé sur l'épaule de Faruk. "Un très grand Ursidrean". Il a beuglé de rire, et même Faruk a dû sourire.

Turk a ravalé son rire. "Vraiment, Caleb. Pendant toute la durée de mon absence, les Ursidréens n'ont jamais laissé leur frontière sans surveillance. Ne penses-tu pas que tu devrais prendre les mêmes précautions ? ".

Caleb a regardé Faruk droit dans les yeux. "Je suppose qu'il ne sert plus à rien de garder le secret. Nous ne pouvons pas surveiller toutes nos frontières en permanence. Nous n'avons pas assez d'hommes. La vérité, c'est que la peste nous a frappés plus durement que quiconque ne veut l'admettre. Nous n'avons pas assez de femmes, et à cause de cela, nous n'avons pas assez de jeunes hommes pour remplacer les guerriers plus âgés qui ne partent plus en patrouille. Dans quelques années, nous ne pourrons plus du tout garder notre frontière."

Faruk soupire et parle pour la première fois. "Je te donne ma parole d'honneur que je ne la rapporterai pas à nos chefs pour qu'elle soit utilisée contre toi, et pour te montrer ma bonne volonté de m'avoir offert l'hospitalité, je vais te dire quelque chose d'aussi précieux. Nous n'avons pas non plus assez de jeunes hommes - ou de jeunes femmes - pour garder toutes nos frontières."

Caleb le regarde fixement. Ensuite, Turk et lui ont échangé un regard.

"Notre Alpha, Donen, n'a jamais voulu faire la guerre aux Felsites pour exactement cette raison", poursuit Faruk. "Il a passé des semaines à discuter avec notre Conseil suprême, mais ils n'ont pas voulu entendre raison. Nous n'avons pas assez d'hommes pour garder notre territoire, et d'autres ont été perdus pendant la guerre. Maintenant, il a passé outre en envoyant un message à Renier avec une offre de paix entre nos factions. C'est la seule façon pour nous de survivre."

Tout le monde l'a écouté en silence. Le Caleb a hoché la tête. "Les autres factions doivent être dans la même situation. Depuis que ces femmes se sont écrasées sur notre territoire, nous avons reçu des messages de tout Angondra, leur demandant de rejoindre les autres factions. Partout sur la planète, les hommes n'ont pas assez de femmes pour faire vivre leur population. Certaines femmes ont répondu à ces messages dans l'espoir de commencer une nouvelle vie."

Faruk a répondu par un signe de tête. "Ces femmes sont des trésors. Celui qui en gagne un pour lui-même peut vraiment s'estimer heureux."

Caleb baisse les yeux. "Je le sais. Il n'y a qu'une chose étrange dans tout cela. Nous n'avons jamais eu de nouvelles des Aqinas. Ils n'ont jamais donné l'impression de manquer de femmes."

Turk fronce les sourcils. "Mais ils ont assisté au rassemblement où la Romarie a amené Marissa et ses amis. Elles doivent avoir besoin de femelles autant que nous."

Juste à ce moment-là, une silhouette a bloqué la lumière qui passait par la porte et une femme qu'Emily n'a pas reconnue est entrée dans la hutte. Elle portait ses cheveux coupés près de la tête, et des lignes profondes marquaient son visage suite à une longue exposition au soleil et au vent. Elle portait des peaux rugueuses en guise de vêtements, et de la saleté noire décolorait ses mains et ses ongles. Sous ses vêtements, son corps est tranchant et anguleux, sans la moindre trace de graisse. C'est alors qu'Emily s'est exclamée : "Aimee !".

Aimee la regarde et sourit. "Te voilà, Emily. Je me demandais quand tu allais réapparaître."

Emily s'est levée d'un bond et a entouré Aimee de ses bras. Elle a pleuré de joie, mais Aimee s'est contentée de sourire et de lui donner une tape dans le dos. Ensuite, ils se sont tous les deux assis près du feu. "Qu'est-ce qui t'arrive ? Tu regardes....." Elle s'est interrompue.

Aimee penche la tête. "J'ai l'air différent, n'est-ce pas ? Ma vie est différente depuis que je suis arrivée ici. J'ai rejoint les guerriers. Je reviens avec eux d'une longue marche à travers les bois. Nous avons effectué un balayage le long des sommets noirs, et dégagé une piste sur la selle en direction du territoire felsique."

Emily la regarde fixement. Un feu sombre brûle dans les yeux d'Aimee. Rien de la douceur dont Emily se souvenait n'est resté en elle. Son corps avait été trempé dans une forge qu'Emily ne pouvait pas comprendre, et c'était une femme différente de celle qu'elle avait l'habitude d'appeler sa cousine.

"Je suis venue ici pour te retrouver toi et mes sœurs", lui a-t-elle dit. "Je suis si heureuse que tu sois en vie et en bonne santé. Sais-tu où se trouvent Freida et Anna ?"

"Ils ne sont pas là", a répondu Aimee. "Ils sont allés chez les Avitras".

Emily s'est écriée. " Oh, non ! Maintenant, je ne les retrouverai jamais."

Aimee contemple quelque chose de lointain, quelque chose d'inaccessible à la vue humaine. "Ils vont bien. Tu n'as pas besoin de t'inquiéter pour eux."

"Pourquoi sont-ils partis ?" Emily a demandé.

Aimee a haussé les épaules. "Pourquoi l'un d'entre eux part-il ? Après un an dans ce village, ils ont voulu tenter leur chance en s'installant définitivement quelque part."

Emily stabilise sa tête qui tourne avec sa main. "Je dois les trouver. Je dois découvrir ce qui leur est arrivé".

"Je suis sûre qu'ils sont heureux là où ils sont", a murmuré Aimée.

Emily l'a étudiée. "Et toi, Aimee ? Es-tu heureuse là où tu es ?"

Aimee a hoché la tête, mais un voile immatériel a empêché Emily de regarder directement dans son cœur. "Je suis heureux".

"As-tu trouvé un compagnon parmi les guerriers ?" Emily a demandé. "C'est pour cela que tu les as rejoints ?"

"Je n'ai pas de compagnon", répond Aimee. "J'ai rejoint les guerriers parce qu'ils avaient besoin de moi. Les Lycaons avaient besoin de guerriers, et je suppose que j'ai entendu l'appel à les rejoindre. C'est la meilleure décision que j'ai jamais prise."

Elle se lève et quitte la hutte. Emily la suit du regard, l'esprit en ébullition. "Je n'arrive pas à croire à quel point elle a changé. Je ne l'ai pas reconnue quand elle est arrivée."

"La plupart d'entre nous ont beaucoup changé quand nous sommes arrivés ici", répond Chris. "Je sais que je l'ai fait".

Emily a commencé à s'occuper de ses mains. "Je dois y aller. Je dois retrouver mes sœurs."

Faruk a posé une main sur son bras. "Attends une minute. Nous venons d'arriver. Nous ne pouvons pas faire du trekking jusqu'au territoire d'Avitras juste comme ça."

"Reste ici quelques jours", lui a dit Caleb. "Assure-toi d'avoir mis au point ta stratégie avant de faire tout ce chemin".

Chris s'est déplacée sur son siège. "Je viens avec toi".

Turk s'est levé. "Si tu y vas, j'y vais aussi".

Chris lui a souri. " Merci. Je savais que nous pouvions compter sur toi".

Faruk a acquiescé. "Si tu vas sur le territoire d'Avitras, tu auras besoin de quelqu'un pour te montrer le chemin. Je viens aussi."

Emily a souri à ses amis. " Merci. Tu ne sais pas ce que cela représente pour moi".

Caleb s'est levé. "Je vais te montrer quelques huttes où tu pourras te reposer pour ton voyage".

# Chapitre 8

Chris et Turk sont allés rendre visite à sa mère et à ses sœurs. Caleb a montré à Emily une hutte vide près de la sienne et à Faruk une autre hutte à l'autre bout du village, près des huttes des guerriers. "Reviens chez moi au coucher du soleil, et nous partagerons un repas". Puis il les a laissés à leurs propres occupations.

Emily le suit du regard. "Je ne pensais pas qu'il serait aussi heureux de nous accueillir. Je pensais qu'ils nous traiteraient comme des ennemis".

Faruk a suivi son regard. "Si nous avons raison, il n'y a plus d'ennemis sur Angondra. Nous sommes tous en grande difficulté, et la seule façon pour notre peuple de survivre est de mettre de côté toutes nos hostilités et de travailler ensemble pour renforcer notre population."

Emily a choisi ses mots avec soin. "Cela pourrait signifier la fin de la patrouille frontalière".

Faruk a acquiescé. "Caleb n'a rien à voir avec son père, Rufus. Le vieux nous aurait abattus pour avoir ne serait-ce que regardé de l'autre côté de la frontière."

"Penses-tu qu'il y a un espoir de paix avec les autres factions ?" demande-t-elle.

Il s'est tourné vers sa hutte. "Dès que l'on saura que nous sommes tous dans le même bateau et que nous n'avons plus d'hommes à gaspiller pour nous battre, les autres viendront aussi."

"Comment vous êtes-vous séparés en différentes factions dès le départ ?" demande-t-elle. "Vous avez suffisamment de similitudes pour que n'importe qui sache que vous êtes de la même espèce, mais vous avez l'air si différents l'un de l'autre".

"Attends de voir les Avitras et les Felsite", a-t-il répondu. "Nous sommes séparés depuis si longtemps que je ne pense pas que quelqu'un se souvienne de la façon dont cela s'est passé".

"Mais vous pourriez vous réunir à nouveau comme un seul peuple", a-t-elle souligné. "Si vous mettez vos différends de côté, vous pourriez à nouveau vous combiner en une seule race d'Angondran".

"Cela ne risque pas d'arriver". Il se promène entre les huttes et observe la vie du village de tous les côtés.

Emily se dépêche de le rattraper. "Pourquoi cela n'a-t-il pas pu se produire ? Vous devez encore avoir la capacité de vous accoupler les uns avec les autres."

Il a reniflé. "Nous ne nous accouplerions pas les uns avec les autres. Personne ne s'accouple en dehors de leurs factions. C'est peut-être pour cela que nous nous sommes séparés dès le départ."

"Mais vous vous accouplez avec des êtres humains, et nous ne sommes même pas de la même espèce", a-t-elle argumenté. "Donen a une compagne humaine, tout comme Turk et Caleb. Peut-être que les femmes humaines de cette planète pourraient servir de pont pour réunir les factions."

Il penche la tête. "Tout est possible".

Elle lui a pris la main. "C'est plus que possible. Comme tu l'as dit, c'est peut-être ton seul espoir de survie."

Il lui a souri. "Non seulement l'espoir de survie des Angondrans, mais aussi le nôtre à tous. Toi et les autres femmes humaines, vous faites maintenant partie d'Angondra. Ce qui nous arrive vous arrivera aussi".

"Raison de plus pour que nous travaillions à sa réalisation", a-t-elle répondu.

Il s'est remis à marcher et elle l'a suivi. "Es-tu sûre de vouloir aller jusqu'au territoire d'Avitras pour retrouver tes sœurs ? Nous pourrions nous contenter d'attendre et d'envoyer un message. Tu ne voudrais pas faire tout ce chemin pour découvrir qu'ils ne sont pas là après tout."

"Si j'avais des doutes sur le voyage", a-t-elle répondu, "Chris et Turk en proposant de venir avec nous m'ont fait changer d'avis".

Faruk a regardé à travers le camp. "Je dois admettre que je suis aussi surpris par leur hospitalité. Je ne pensais pas qu'on me ferait sortir et qu'on me tirerait dessus, mais je ne m'attendais pas non plus à être traité comme un invité d'honneur."

"Caleb se rend compte de la nécessité de mettre les hostilités de côté", a répondu Emily. "Si tous les autres Alphas sont aussi raisonnables que Caleb et Donen, réunir les factions pourrait arriver plus tôt que tu ne le penses."

"N'oublie pas, cependant", a-t-il contré, "Donen et Renier viennent juste de finir d'essayer de s'entretuer dans une guerre. Donen a dû s'enfuir pour sauver sa vie. Ils ne seront pas si prompts à faire la paix."

"D'après ce que Donen a dit à huis clos", lui a dit Emily, "il n'a jamais voulu se battre et il a envoyé un mot à Renier pour faire la paix. Il est même prêt à s'opposer au Conseil suprême pour le faire."

"Et Renier ?" demande-t-il. "Les Ursidréens ont envahi son territoire pour des raisons politiques ridicules. Il ne nous pardonnera pas si vite. Et Aquilla n'oubliera pas que les Ursidréens ont tué son frère."

"Les Ursidréens n'ont pas tué son frère", fait-elle remarquer. "Tu as tué son frère".

Il a haussé les épaules. "C'est ce qui se passe à la guerre. Des membres de ma famille sont aussi morts pendant la guerre, mais je n'en voudrais pas aux Avitras ni à aucune autre faction pour cela."

Emily s'est détournée, mais elle a gardé sa main. "Au moins, nous sommes en paix avec les Lycaons pour l'instant".

Il s'est arrêté à la lisière des arbres et a arpenté le village. "C'est la première fois que je vois leur village de près. Ce n'est pas ce à quoi je m'attendais."

"À quoi t'attendais-tu ?" demande-t-elle.

"On entend toutes sortes de choses sur les Lycaons qui vivent dans des huttes en bâtons dans la forêt, sans eau chaude ni électricité", répond-il. "Cela te fait penser qu'ils ne sont rien de plus que des animaux. Je n'ai jamais vraiment pensé à eux comme à des personnes. Mais maintenant que je les vois de près, je vois leur côté angondran. Je les considère comme les mêmes personnes que les Ursidréens. Ils vivent simplement dans un environnement différent. Ils construisent leurs maisons différemment et portent des vêtements différents, mais ils traitent leurs enfants de la même façon et prennent soin les uns des autres de la même façon."

"N'est-ce pas toujours le cas avec les ennemis ?" demande-t-elle. "Personne ne pourrait considérer quelqu'un d'autre comme un ennemi s'il le voyait de près. Cela dissiperait le mythe selon lequel l'ennemi est autre chose. C'est ainsi que les querelles et les guerres de longue date prennent fin."

Il a hoché la tête. "Je suppose que oui. Le chemin semble encore long pour que les factions mettent leurs différences de côté et s'unissent."

Emily regarde autour d'elle. "Qu'est-ce que tu veux faire maintenant ? Nous avons quelques heures avant de partager un repas avec Caleb."

"Nous pourrions faire une promenade", a-t-il suggéré.

Emily acquiesça et elles se glissèrent main dans la main dans les arbres, à travers l'ombre pommelée jusqu'à une source en bas de la colline, hors de vue du village. Faruk s'est retourné. "Incroyable ! Tu ne saurais jamais qu'il est là".

"Comment les Ursidréens se sont-ils retrouvés avec toute la technologie alors que des factions comme les Lycaons n'ont rien ?". Emily a demandé. "Pourquoi ne le partages-tu pas avec eux ?"

"Ils n'en veulent pas", a-t-il répondu. "Quand Angondra a renoncé au vol spatial, les Lycaons, les Avitras et les Aqinas ont complètement abandonné la technologie. Les Avitras ont conservé les métaux pour les pointes de lance et autres outils, mais les Lycaons sont revenus à la technologie de la pierre. C'était leur choix."

"Qu'en est-il de la Felsite ?" demande-t-elle. "Aria dit qu'ils vivent aussi dans les villes".

"Ils le font", a-t-il répondu. "Mais ils n'utilisent pas la technologie comme nous le faisons. Ils n'utilisent pas d'armes avancées et n'ont pas de pouvoir. Ils utilisent des lampes, et ils mangent de la viande crue, donc ils n'utilisent pas de feu pour cuisiner. Quand Angondra s'est détournée de l'espace, ils ont jeté le bébé avec l'eau du bain. Ils pensent que notre technologie nous ramènera dans l'espace. Ils pensent que nous aurons de nouveau affaire aux Romarie si nous continuons ainsi, et ils ont peut-être raison."

"Qu'est-ce qui te fait dire ça ?" demande-t-elle.

"Lorsque Donen s'est rendu compte que la situation de la diminution de la population était vraiment aussi grave qu'elle l'est, lui dit-il, il a invité les Romarie à apporter une cargaison de leurs femelles ici. Nous avons organisé un rassemblement sur le continent sud."

Emily a sursauté. " Il ne l'a pas fait ! Il n'a pas pu ! Comment a-t-il pu faire ça alors qu'il savait quelle racaille sont les Romarie ?"

Faruk a levé la main. "Nous n'allions pas acheter les femmes. Nous allions simplement les examiner et décider si nous avions vraiment besoin de nous procurer des femelles de la Romarie pour remettre notre population sur les rails."

Emily secoue la tête. "Je ne pensais pas qu'il pouvait s'abaisser à ce point".

"Attends d'entendre la suite de l'histoire avant de tirer des conclusions hâtives", lui a-t-il dit. "Il y avait quatre femmes, et les Alphas de toutes les factions ont assisté au rassemblement pour les voir de leurs propres yeux. Certains, comme Renier, ne sont venus que pour s'assurer que le Romarie ne tentait rien de sournois. Caleb était là, ainsi que Turk et Aquilla."

"Tu étais là ?" demande-t-elle.

Il a secoué la tête. "Seuls Donen et quelques membres du conseil suprême y sont allés. Une bagarre a éclaté entre les Alphas et les Romarie. L'une des femmes a saisi une arme et les quatre se sont battues pour sortir du bâtiment."

Elle le regarde fixement. "Wow."

Il a hoché la tête. "Ils ont eu de l'aide. Renier les a aidés, et Caleb aussi. Caleb a risqué sa vie pour sauver Marissa, qui est ensuite devenue sa compagne. Le Romarie ne pouvait pas tenir face à tous ces gens. Ils ont fui la planète et ont laissé les quatre femmes derrière eux."

Elle a écouté en silence.

"Tu vois donc, conclut-il, que nous n'avons pas besoin de nous procurer des femmes chez les Romarins. Tu es déjà là, et après le crash de ton vaisseau, des centaines de femmes humaines se répandent sur toute la planète. Nous avons probablement plus de femmes humaines sur cette planète aujourd'hui que nous n'aurions jamais pu en obtenir des Romarins. Donen n'a aucune raison de reprendre contact avec eux."

"Que se passe-t-il quand l'une de ces femmes décide qu'elle veut quitter cette planète ?" a-t-elle demandé. "Je suis sûr que certains d'entre eux aimeraient retourner sur Terre. Ils viendront frapper à la porte des Ursidréens pour savoir de quelle technologie vous disposez."

Il lui a souri. "Tu parles de toi ou de quelqu'un d'autre ?"

"Je n'ai aucune envie de partir". Elle a pressé sa main. "Tant que mes sœurs et Aimee sont en sécurité, je me contente de rester ici. Je n'ai rien sur Terre où retourner".

"Il n'y a aucun moyen de quitter cette planète", lui a-t-il dit. "Les Ursidréens ont une technologie avancée, mais nous avons abandonné les vols spatiaux - et tous les autres types de vols - il y a longtemps. Certaines des femmes humaines ne le croient pas lorsqu'elles débarquent pour la première fois, mais elles finissent par l'accepter au bout d'un moment."

"Comment le sais-tu ?" demande-t-elle.

Il a haussé les épaules et a détourné le regard. "Aria me l'a dit, et elle doit le savoir".

"Que feront les Ursidréens si une femme se présente et ne l'accepte pas ?" demande-t-elle. "Et si quelqu'un veut utiliser ta technologie pour ressusciter le vol spatial afin de pouvoir rentrer chez elle auprès de son mari et de ses enfants ?".

"Je suppose que nous nous en occuperons le moment venu", a-t-il répondu.

Il s'est assis à côté de l'eau et l'a attirée à côté de lui. "Dis-moi que tu ne vas pas ressusciter les vols spatiaux".

Elle regarde le soleil qui scintille sur l'eau. "Je ne le ferais pas moi-même, mais je peux comprendre que quelqu'un veuille le faire. Je ne voudrais pas m'éloigner du lien que nous avons, mais une autre femme pourrait ne pas avoir ce lien qui la retiendrait ici. Elle a peut-être laissé trop de choses derrière elle pour s'installer ici."

Il a pressé sa main dans les deux siennes. "Je déteste l'idée de te voir partir".

"Je ne partirai pas". Elle est restée assise en silence.

"Qu'est-ce que c'est ?" demande-t-il.

"Comment ça va se passer quand je retournerai à Harbeiz et que tu retourneras à la patrouille frontalière ?" a-t-elle demandé.

"Je suppose que tu ne reviendras pas à la patrouille frontalière avec moi", a-t-il remarqué.

Elle a souri. "Je ne pense pas que ce soit le cas. Je ne pourrais pas vivre dans les montagnes pendant des années. J'ai besoin d'être installé avec d'autres personnes autour de moi."

"Comment puis-je savoir que tu ne resteras pas avec les Avitras ?" a-t-il demandé. "Une fois que nous aurons retrouvé tes sœurs, tu pourras décider que tu ne peux pas être séparée d'elles. Tu pourrais rester avec eux et je reviendrai à la patrouille des frontières."

"Cela n'arrivera pas", a-t-elle répondu. "Je suis avec les Ursidréens depuis des mois, et je t'ai toi. Je reviendrai."

"Comment peux-tu en être sûr ?" a-t-il demandé.

Elle regarde fixement devant elle. "J'en suis sûr".

# Chapitre 9

"Emily".

"Quoi ?"

Il a posé sa main sur sa joue et a tourné son visage vers lui. Ses yeux ont percé son âme. "C'est très agréable de te tenir la main et de parler, mais j'ai besoin de quelque chose de plus que des promesses. Je ne veux pas te quitter, et tu ne veux pas me quitter, mais qu'est-ce qui nous assure que nous resterons ensemble ? Quel engagement avons-nous de faire des sacrifices pour rester ensemble ?"

"Qu'est-ce que tu demandes ?" demande-t-elle. "Est-ce que tu demandes un engagement à long terme ? Me demandes-tu de te promettre ma loyauté indéfectible ? Je ne comprends pas."

Il a fait un signe de la main. "Rien de tel. Je ne me permettrais pas de demander cela quand l'avenir est si incertain. Je ne sais pas ce que je demande, mais j'ai besoin d'un signe de ta part pour savoir si je ne suis pas un caprice passager. J'ai besoin de quelque chose de solide à quoi m'accrocher".

Elle l'a étudié. "Je me disais la même chose en venant ici. Je te connais à peine, et nous voilà en train de faire du trekking sur toute la planète et de nous tenir la main. Je veux aussi avoir des garanties sur toi."

Ses yeux se sont illuminés. "Alors qu'est-ce qu'on va faire à ce sujet ?"

Elle a fait une pause. Puis elle l'a entouré de ses bras et l'a embrassé. Il a rencontré ses lèvres avec un moment d'hésitation. Puis il s'y est abandonné avec sa détermination directe. Il l'a enfermée dans son étreinte et ils ont sombré dans le confort de la présence de l'un et de l'autre.

Après un long moment, il s'est retiré et a souri. "Cela fera l'affaire".

Emily rit. Ils se sont assis ensemble sur l'herbe, les mains jointes. Ils revenaient toujours à cette simple reconnaissance de la solidarité. "Que se passe-t-il maintenant que tu as obtenu ton assurance ?"

Il a secoué la tête. "Je n'ai toujours pas de réponses. J'avais juste besoin de savoir que je ne suis pas dispensable pour toi".

Elle s'est blottie dans ses bras. "Tu ne pourras jamais être dispensable à qui que ce soit".

"Tu serais surpris", a-t-il répondu.

"Tu ne pourras jamais être dispensable pour moi", lui a-t-elle dit.

"Ni vous à moi", a-t-il répondu. "C'est pourquoi je devais venir avec toi".

"Il y a quand même quelque chose qui me tracasse", lui a-t-elle dit. "Je n'arrive pas à me sortir de la tête quelque chose que tu as dit".

"Qu'est-ce que j'ai dit ?" demande-t-il.

"Tu as dit que tu voulais avoir l'assurance que nous ferions des sacrifices pour rester ensemble", lui a-t-elle dit. "Qu'est-ce que tu veux dire ?"

"Si nous devenons des compagnons à long terme", a-t-il répondu, "l'un de nous devra se sacrifier pour l'autre. Soit je dois quitter les montagnes, soit tu dois quitter la ville. L'un de nous devra abandonner son ancienne vie pour la nouvelle."

"Est-ce que c'est quelque chose que tu serais prêt à faire ?" a-t-elle demandé.

Il a regardé le ciel. "Je ne sais vraiment pas".

"Je ne voudrais pas vivre dans les montagnes - pas indéfiniment", a-t-elle répondu. "Mais je ne voudrais pas non plus que tu abandonnes le travail que tu aimes pour moi".

"Je ne voudrais pas que tu vives indéfiniment dans les montagnes", lui a-t-il dit. "Tu ne serais pas heureuse et je ne te rendrais pas malheureuse".

Emily s'est illuminée. "Au moins, nous sommes d'accord pour qu'aucun de nous ne soit malheureux pour le bien de l'autre".

"Cela ne nous rapproche toujours pas de la résolution du problème", a-t-il répondu.

"Comme tu l'as dit, lui dit-elle, tant que nous ne sommes pas devenus des compagnons, il n'y a pas de véritable problème".

Il n'a pas répondu. Le soleil traverse les arbres et ils restent assis en silence, main dans la main, jusqu'à ce qu'il disparaisse derrière l'horizon. Faruk s'est levé et a soulevé Emily du sol. Sans rien dire, ils se sont promenés jusqu'au village. Des lycaons de tous âges et de toutes couleurs se déplaçaient entre les maisons. Les femmes s'occupent des dernières corvées en prévision de la nuit. Les vieux hommes jouaient avec les enfants et les vieilles femmes parlaient dans l'embrasure des portes.

Une tranquillité bienheureuse enveloppait le village. Emily n'a jamais rien vécu de tel à Harbeiz. Le bourdonnement de la technologie l'a bloqué. Ici, rien ne séparait les gens les uns des autres. Aucune subtilité sociale n'interférait avec les relations naturelles entre les générations et les sexes et les familles et les amis. Les gens se rencontraient dans leur forme primitive brute, et leurs relations étaient empreintes d'un pouvoir propre, brut et direct qu'Emily n'a jamais vu ailleurs.

La main de Faruk pèse lourd dans la sienne. Elle lui a souri. Ils devraient maintenant se séparer pour aller dans leurs propres huttes. Elle soupire. "Je suppose que je te verrai demain".

"As-tu oublié ?" a-t-il demandé. "Nous allons manger chez Caleb".

Elle s'est illuminée et lui a serré la main. Ils ont continué jusqu'à la maison de Caleb, où ils se sont retirés à une distance formelle. Ils ne se sont retrouvés que des heures plus tard, lorsqu'Emily a franchi la porte de Caleb.

Elle a levé les yeux et repris son souffle. Une aurore jaune brillante a illuminé le ciel nocturne. Des éclats de lumière stellaire bordent les vagues d'énergie qui se déversent dans l'atmosphère et éclairent le village de Lycaon aussi brillamment que le jour. "Je ne l'ai jamais vu aussi brillant".

Chris est sorti de la hutte. "C'est comme ça sur toute la planète. Peux-tu croire cela ? Elle est beaucoup plus forte que les aurores sur Terre, et elle n'est pas confinée aux pôles."

Emily l'a regardé fixement. "C'est magnifique".

Chris soupire. "Je préfère le ciel noir étoilé. C'est avec ça que j'ai grandi, et c'est ce que j'aime."

"Et maintenant, tu ne le reverras plus jamais", fait remarquer Emily.

"Les aurores ne sont pas comme ça tous les soirs", lui a dit Chris. "Cela ne se produit que pendant certaines phases du cycle lunaire. À d'autres moments, le ciel est aussi noir que la Terre, et les étoiles sont tout aussi belles." Elle s'est éloignée. "Je vais me coucher. Je te verrai demain matin."

Elle disparut dans le village endormi, et Faruk sortit de la hutte de Caleb. "C'est le meilleur repas que j'ai eu depuis des années". Il lui a jeté un coup d'œil et a suivi son regard vers le ciel. "Qu'est-ce que tu regardes ?"

Elle a hoché la tête vers le haut. "Ça. C'est magnifique."

Il a froncé les sourcils. "Vous ne l'avez pas sur votre planète ?"

"Pas comme ça", a-t-elle répondu. "Nous en avons près des pôles extrêmes de la planète, et ce n'est pas aussi fort que cela. Je l'ai vu quelques fois, mais rien de tel. Je pourrais rester ici et la regarder toute la nuit".

Il a attendu, mais elle n'a pas bougé. Puis il lui a pris la main. "Tu vas geler si tu restes là à la regarder toute la nuit. Retourne dans ta hutte et dors un peu."

Elle le laisse la guider entre les habitations silencieuses. Ils se sont arrêtés devant la cabane d'Emily, mais ils ne se sont pas lâchés la main. Emily a regardé le ciel pendant une minute. Puis elle a arpenté le village dans l'ombre. Enfin, elle se tourne vers Faruk.

Elle lui a souri, mais aucun des deux n'a dit un mot. Mais il n'a pas souri. Il la fixe de son regard intense, et sa paume lui brûle la main. À quoi pensait-il en ce moment ? Il s'est penché pour l'embrasser et s'est redressé.

Ils se sont regardés dans les yeux pendant un long moment. Emily pouvait distinguer chaque cheveu de sa tête dans la lumière de l'aurore. Ses oreilles se sont dressées. Il attendait quelque chose. Puis, sans un mot, il se baissa et se glissa par la porte dans la cabane d'Emily. Il l'a tirée par la main et l'obscurité les a enveloppés.

Les yeux d'Emily se sont adaptés à l'obscurité et elle s'est retrouvée sur le lit. Il a approché son visage du sien et l'a tournée vers lui. Sa voix a murmuré tout bas dans l'obscurité. "Emily".

"Je suis là", a-t-elle chuchoté.

"Je ne veux plus me poser de questions", a-t-il soufflé. "Je veux que nous soyons accouplés".

Elle a repris son souffle, mais il ne disait rien qu'elle ne sache déjà. "Je le veux aussi".

Sa bouche s'est refermée sur la sienne, et le vin capiteux de la passion enivrée a envahi son esprit. L'incertitude était terminée. Elle s'est abandonnée à lui et son corps dans ses bras.

"Nous serons ensemble", a-t-il murmuré. "Quoi qu'il arrive, nous trouverons un moyen de rester ensemble".

Elle a fermé les yeux et s'est enfoncée dans son baiser. Elle s'est penchée en arrière, et ils se sont étendus ensemble sur les couvertures. De la connexion entre leurs lèvres, ils se sont regardés dans les yeux à la lumière qui traversait les murs en bâtons de la cabane. Ils respirent d'avant en arrière et écoutent la respiration de l'autre.

Faruk la prend dans ses bras et, cette fois, elle laisse éclater toute l'intensité de sa passion contre lui. Leur respiration s'est accélérée et elle a pressé son corps contre sa masse de fer. Il l'a acceptée à bras ouverts, et à chaque escalade de son désir, il l'a suivie pas à pas.

En un éclair, elle a roulé sur lui. Son corps s'est raidi sous elle, et elle s'est allongée sur son torse montagneux. Il l'a attirée sur lui avec ses bras, et elle s'est jetée de tout son poids sur lui, mais elle n'a pas fait une brèche.

Puis elle a senti son corps se gonfler sous elle. Elle a jeté toute prudence au vent et a déchiré sa chemise. Elle a laissé ses seins nus tomber contre sa poitrine et, l'instant d'après, ses jambes se sont écartées pour chevaucher ses hanches. Elle s'est poussée vers le haut et est restée en équilibre, dégoulinante d'humidité, sur son épaisse longueur.

Il est retombé sur le lit, et elle s'est enfoncée sur lui. Des vagues et des vagues de passion enfouie depuis longtemps inondent son corps affamé. Elle se débat et donne des coups de pied pour l'inciter à continuer, mais il n'a pas besoin d'être encouragé. Ses jambes ont battu la chamade et elle a galopé loin dans les montagnes où personne ne pouvait la retrouver.

En pleine nuit, Emily s'est réveillée dans l'obscurité totale. La lueur jaune de l'aurore ne se faufile plus à travers les ouvertures des murs de la cabane.

Ses yeux ont eu du mal à s'ajuster, mais elle ne voyait rien. Elle ne bouge pas pour ne pas réveiller Faruk. Sa respiration montait et descendait en une marée régulière derrière elle, et son bras pendait, lourd et immobile, sur ses côtes. Elle ferme les yeux, mais son esprit tourbillonne de souvenirs et de sensations des dernières heures. Son corps s'enflamme d'une excitation renouvelée, mais elle doit rester parfaitement immobile. Même les taches chaudes et humides sur ses jambes la poussaient à atteindre des sommets de désir pour lui.

Elle n'a pas bougé d'un poil, mais l'énergie qui coule en elle a dû déclencher ses sens. Sa respiration a changé et son bras s'est raidi. Emily retient sa respiration et écoute. Il a lutté pour respirer pendant un moment. Puis il a soupiré et s'est complètement réveillé.

Lui aussi s'est tenu tranquille pendant une minute. Puis il a laissé tomber son visage dans le creux de son cou. Il a caressé son cou et son épaule avec ses lèvres, et elle a appuyé sa tête en arrière contre lui. Sa respiration s'est accentuée, et le picotement de l'excitation est monté en flèche. Elle ne pouvait plus se retenir. Elle se pressa contre lui, et son corps frémit de vie.

Sa main s'est aplatie contre son ventre, et son abdomen s'est tendu. Il a tracé le bout de ses doigts autour de son nombril, et elle a aspiré son souffle entre ses dents pour se maîtriser. Elle réveillerait tout le village avec ses cris d'extase si elle ne le faisait pas. Sa bite s'est gonflée contre elle par derrière, et elle s'est repliée contre elle.

Sa main a glissé plus loin entre ses jambes. Le cocktail de sueur et de désir l'humidifie encore de leur rencontre précédente et lubrifie le passage de ses doigts vers le bas. Il a creusé un sillon jusqu'à son ouverture secrète, et elle s'est écartée pour le recevoir.

Il a grogné dans son cou, et elle s'est enfoncée en lui. Son autre bras s'est faufilé autour de ses côtes et l'a attirée contre lui. Son membre durci s'est enfoncé entre ses jambes et ses doigts l'ont guidé jusqu'à lui. Emily halète et se tord dans des convulsions de tension. Elle ne pouvait pas bouger avec lui qui la tenait si fort, et entre sa queue derrière elle et son doigt devant elle, elle ne pouvait pas s'extirper d'une manière ou d'une autre.

Faruk bouge son corps pour elle. Il l'a tirée en arrière pour engloutir sa tige palpitante et l'a poussée en avant pour glisser vers l'extérieur, prêt pour une autre poussée. Elle s'est abandonnée entre ses mains, et son corps a vibré à son rythme.

Son corps la consumait et elle pouvait en sentir chaque centimètre, alors qu'il le libérait et le faisait avancer avec une détermination qu'elle pouvait lire dans ses yeux. Elle bougea contre lui, ses yeux se fermèrent, puis ils s'ouvrirent avec la sensation d'un orgasme qui avait été remué à la surface par lui enfoui en elle.

"Baise MEEEEEEEEEE", gémit-elle, essayant de ne pas crier alors qu'il la pilonne avec des poussées incessantes. Il se servait de son physique masculin fort pour entrer et sortir d'elle à plusieurs reprises. Le sentiment mutuel qui les unissait dépassait tout raisonnement.

La façon dont Faruk tenait Emily et la plongeait dans ses profondeurs était presque trop belle pour être réelle. Elle avait déjà fait l'expérience de bonnes relations sexuelles sur terre avec des hommes, mais Faruk était différent, c'était une bête puissante. Il était tout homme, charmant et avait bon cœur.

Son corps commence à montrer les signes de l'effort, la fatigue s'installe et rend sa respiration difficile. Alors qu'elle pensait qu'il avait presque fini, il a soudain retrouvé son second souffle. Il l'enfonçait de plus en plus profondément, tout en frottant sa tige contre sa petite amie. Le frottement constant de l'humidité qui entourait son clitoris l'a plongée dans un état de bonheur total.

" Je suis en train de jouir... oh mon dieu... c'est ça. Ne t'arrête pas...quoi que tu fasses ne t'arrête pas.... I...... Yes...Faruk...Faruk...FARUKKKKKKK." Elle appela son nom plusieurs fois, la dernière étant ponctuée d'un crissement aigu qui lui fit croire qu'elle avait réveillé tout le village. Elle se tordait et se retournait et c'était un miracle qu'il puisse même rester en selle.

Ils avaient jeté la prudence au vent et s'étaient abandonnés à leurs plus bas désirs animaliers. C'était tout ce qu'elle pensait qu'il serait et plus encore. Elle ne savait pas trop à quoi s'attendre avec une race extraterrestre, mais il semble qu'elle n'ait pas à s'inquiéter.

Rien ne pouvait les séparer maintenant. Ils étaient copains. Ils ont été rejoints.

# Chapitre 10

Chris et Turk sont sortis du village. Faruk les suit, mais Emily s'arrête pour regarder en arrière. "J'aimerais presque pouvoir rester ici plus longtemps. Je viens juste d'arriver, et il y a tellement de choses à apprendre sur ces gens."

Faruk a fait le tour du village. "Oui. Je ne savais pas qu'ils avaient une culture aussi complexe et intéressante. Il faudra que je les étudie davantage, et je suis sûr que Donen voudra entendre tout ce que nous avons appris ici. Notre peuple est loin d'en savoir assez sur les lycaons."

"Penses-tu qu'il y a une chance de paix entre nos factions ?" demande-t-elle.

"Si toutes les factions et tous les Alphas gardent le même secret de peur que les autres le découvrent", a-t-il répondu, "il suffit de laisser sortir le secret".

"Tu as vendu la mèche, pour ainsi dire ?" Emily a gloussé. "Mais qui sera le premier à baisser sa garde ? Il faudrait un Alpha courageux pour franchir ce pas et s'exposer à ses ennemis."

"Donen le ferait", lui a-t-il dit. "Je le connais suffisamment pour savoir qu'il attend une ouverture comme celle-ci. Quand je lui dirai que Caleb a le même problème, à savoir qu'il n'y a pas assez d'hommes pour garder la frontière, Donen sautera sur l'occasion d'abaisser nos défenses et de faire la paix. Tu l'as entendu à la maison. Il a fait savoir à Renier qu'il voulait une trêve, et ce après avoir envahi le territoire de Renier et avoir failli se faire tuer pour cela. Si cela ne demande pas de courage, je ne sais pas ce qui en demande."

Ils se sont mis en route sur le sentier. "Ce n'est peut-être pas le bon moment pour s'envoler vers le territoire d'Avitras à la recherche de mes sœurs".

"C'est le meilleur moment possible pour le faire", a-t-il répondu. "Tu ne te reposeras pas tant que tu ne les verras pas en sécurité et heureux, et nous pourrons faire savoir à Aquilla que nos factions veulent la paix. Si tous les Alphas veulent la paix comme nous, nous pourrions être à la porte d'une grande ère pour notre planète."

Elle lui a jeté un regard en coin. "Tu n'es pas inquiet à l'idée de revoir Aquilla ? Tu n'as pas peur qu'il essaie de te tuer pour se venger de la mort de son frère ?"

"Il ne sait pas quel Ursidrean a tué son frère". Faruk lui sourit. "S'il le faisait, je ne mettrais pas les pieds près du territoire d'Avitras".

Elle a glissé sa main dans la sienne. "Bien, parce que je ne veux pas que tu te mettes en danger pour moi".

"Je ferais bien plus que me mettre en danger pour toi", a-t-il répondu. "Et tu n'as pas à t'inquiéter de me voir retourner à la patrouille frontalière de sitôt. Après ce voyage, je resterai longtemps à Harbeiz, pour rendre compte à Donen et au Conseil suprême de ce que nous avons trouvé. Il s'agit d'une information importante. Personne n'est revenu du territoire de nos factions voisines avec de telles informations... jamais."

Elle lui a serré la main. "Tu pourrais même te lancer dans la politique".

Il a fait une grimace. "Ne plaisante pas avec ça".

Chris s'est arrêté près du lit d'un ruisseau vers midi, et ils ont partagé un repas tiré du paquetage de Turk. Emily regarde autour d'elle. "Comment connais-tu si bien cette région ?"

"C'est notre territoire", a répondu Chris. "Nous avons parcouru cette zone des dizaines de fois au cours de l'année écoulée".

"Tu as aussi utilisé cet endroit pour t'arrêter toutes ces fois ?" demande-t-elle.

Chris rit. "Non."

Emily l'a étudiée. "Pourquoi le dis-tu comme ça ?"

"Nous traversons ce territoire en une fraction du temps", répond Chris. "Nous avons l'habitude de le courir au lieu de le marcher. Nous marchons parce que tu es là".

Emily la regarde fixement. "Tu....run ça ? Comment ?"

Chris a haussé les épaules. "Nous courons. Nous ne marchons pas."

Emily a cligné des yeux. "Comment pouvez-vous courir avec des paquets sur le dos ?"

"Nous ne portons pas de paquetage", lui a dit Chris.

La bouche d'Emily s'est ouverte. "But...."

"Nous ne portons rien d'autre que nos armes", lui a dit Chris. "Parfois, nous ne portons même pas cela. Nous chassons en chemin, mais parfois nous utilisons nos mains nues. Les lycaons peuvent écraser tout ce qu'ils trouvent dans ces bois. Je ne peux pas attraper les plus grosses proies. Je ne suis pas aussi rapide que la plupart des lycaons. Mais Turk peut le faire."

"Mais comment peux-tu faire ça ?" Emily a demandé. "Comment peux-tu courir aussi vite, pour écraser un animal.... ?"

"J'ai appris", lui a dit Chris. "Je ne savais rien du tout quand je suis arrivé ici. Je n'en savais même pas autant que toi. Je n'ai jamais passé six ans avec les services de recherche et de sauvetage en montagne. J'ai dressé des chevaux et des chiens pour gagner ma vie. J'étais un vrai blanc-bec". Elle a éclaté de rire et secoué la tête à ce souvenir.

Turk la regarde à travers le feu. "Tu avais pourtant la volonté d'apprendre et de changer".

Chris est rayonnant. Elle a souri à Emily. "Nous le faisons tous".

Emily regarde fixement l'eau qui coule à leurs pieds. "C'est incroyable".

"Pas vraiment", a répondu Chris. "N'importe qui aurait pu faire la même chose à ma place".

Emily secoue la tête, mais Faruk l'interrompt. "Pourquoi retournes-tu dans ton village maintenant ? Pourquoi ne retournes-tu pas dans ta maison de montagne ?"

Chris a poussé des cailloux d'avant en arrière sur le sol à ses pieds à l'aide d'un bâton mort. "Nous avons des affaires à faire dans le village".

"Je comprends", lui a dit Emily. "Tu ne veux plus vivre seule sur la montagne. Tu voulais passer du temps seul avec Turk quand vous vous êtes mis ensemble, mais maintenant c'est fini et tu veux à nouveau des gens autour de toi. La famille de Turk est dans le village, et maintenant que tu es copain, ils sont aussi ta famille. De plus, il y a d'autres femmes humaines là-bas. Aimee est là, ainsi que d'autres femmes de l'accident. Je comprends pourquoi tu voudrais qu'ils t'entourent aussi."

Chris a rougi. "Merci. Cela signifie beaucoup de choses venant de toi."

Faruk l'a écoutée en penchant la tête d'un côté. Son expression lui a donné un sentiment étrange. Elle ne pouvait pas le regarder. Turk a dit les mots qu'elle a lus sur le visage de Faruk. "On dirait que tu parles de toi-même".

Emily a haussé les épaules. "Je suppose que c'est le cas. Je ne voudrais pas vivre seul sur cette montagne. Je suis étonnée qu'elle ait tenu aussi longtemps. Elle doit vraiment t'aimer, toi et les bois, pour vivre seule là-bas pendant tous ces mois. Je comprends pourquoi elle veut que sa famille et ses amis l'entourent maintenant. Et si elle tombait enceinte là-haut ? Qui l'aiderait ? Qui pourrait lui parler et la rassurer ? C'est une chose de courir à travers les bois quand vous vous mettez ensemble pour la première fois, mais elle a besoin d'autres personnes maintenant."

Chris et Turk se sont regardés l'un l'autre. Aucun des deux n'a répondu.

Emily s'est déplacée sur son siège. "Après avoir retrouvé mes sœurs, je retournerai à la cité ursidréenne. La seule autre femme humaine à qui je devrai parler est Aria, mais c'est suffisant. Je me ferai des amis et j'aurai l'infirmerie pour m'occuper de moi quand j'accoucherai. Je ne serai pas seule."

Maintenant, ils sont tous les trois assis en silence. Personne ne lui a répondu. Faruk l'étudie toujours avec cette expression de recherche sur son visage. À quoi pensait-il en ce moment ? Il devrait renoncer à ses montagnes bien-aimées pour rester à Harbeiz avec elle.

Le silence s'est prolongé. Personne ne l'a cassé. À la fin, Emily ne pouvait plus rester assise là. Elle s'est levée et a étiré ses jambes. "J'apprécie vraiment que tu prennes le temps de m'emmener sur le territoire d'Avitras pour retrouver mes sœurs, Chris. Je sais ce que cela représente pour toi d'être de retour dans ton village. Tu n'as sans doute pas voulu parcourir toute la création pour m'aider après être rentré à la maison."

Chris s'est levée, mais ses yeux rayonnaient de joie. "Je suis heureux de t'emmener. J'adore faire des randonnées dans toute la création, et une fois que nous serons rentrés au village, je ne le quitterai plus pendant longtemps. C'est la dernière chance que j'ai de m'en sortir."

Les yeux d'Emily se sont agrandis. "Pourquoi ?"

Chris lui a touché le bras. "Je suis enceinte. C'est pourquoi nous y retournons."

Emily a sursauté. "Mais tu ne peux pas.....vous ne devriez pas.....pourquoi as-tu......vous devriez retourner en arrière !".

Chris a secoué la tête. "Je vais bien. Comme je te l'ai dit, nous avons l'habitude de parcourir ce sentier dans les deux sens entre la montagne et le village. Je ne me fatigue pas en marchant". Elle rit à nouveau, et une lumière pure et claire brille dans ses yeux et sur ses joues.

Emily la regarde fixement. Puis elle a secoué la tête et s'est détournée. "Je ne serais jamais venu si j'avais su".

"Tu m'as rendu service". Chris fait un signe de la main à Turk. "Tu crois vraiment que Turk m'aurait laissé venir si j'avais été en danger ?".

Emily a jeté un coup d'œil à Turk. Il a écouté leur conversation avec une expression parfaitement détendue sur le visage. "Je suppose que non".

"Je vais vivre dans le village pendant longtemps", a poursuivi Chris. "Ma belle-mère et mes belles-sœurs entreront et sortiront de chez moi plusieurs fois par jour. Je regarderai la montagne depuis ma porte d'entrée avec mon bébé sur la hanche, et j'aimerais être là-haut." Elle rit à nouveau. "Et je me souviendrai de ce dernier voyage que nous avons fait, et je serai heureux de t'avoir rencontrée quand je l'ai fait".

Emily a ouvert la bouche pour répondre, mais aucun son n'est sorti.

"J'y retourne pour toutes les raisons que tu as dites", lui a dit Chris. "Je rentre pour avoir ma famille autour de moi, et pour avoir l'aide et les soins d'autres femmes. Je ne pourrais jamais vivre une grossesse, un accouchement et élever mes enfants seule sur la montagne, et je ne vais pas essayer." Elle a pressé la main d'Emily. "Tu ne devrais pas non plus".

Emily jette un coup d'œil à Faruk et rougit.

"Elle n'aura pas à le faire", répond Faruk.

Emily a laissé tomber ses yeux sur le sol, et ils ont tous commencé à marcher sans rien dire de plus. Ils ont marché jusqu'à ce que le soleil s'enfonce sous les arbres et que l'air devienne froid. Puis Chris a fait un feu pendant que Turk disparaissait dans les arbres. Il est revenu avec la carcasse d'un animal qu'Emily n'a pas reconnu. Il l'a fait rôtir sur le feu.

Faruk a reniflé la viande et a haussé les sourcils. "Porkini ? Comment l'as-tu tué ?"

"Chris te l'a déjà dit", a répondu Turk. "Je l'ai renversé et je lui ai brisé le cou".

Faruk fronce les sourcils. "C'est impossible".

Turk a haussé les épaules. "Les lycaons courent beaucoup plus vite que les ursidréens".

Faruk lui lance un regard noir. "Comment le sais-tu ?"

Turk penche la tête. "Voudrais-tu faire une course et voir ?"

Faruk le fixe d'un regard dur sous ses lourds sourcils. Puis il a tourné son regard vers la viande qui dégoulinait de perles de jus grésillantes dans le feu. "Je n'ai pas envie de faire une course contre un homme qui peut courir sur un porkini et le tuer à mains nues."

Turk s'est assis sur ses talons, mais il n'a pas répondu et il n'a pas souri. Emily a étudié les deux hommes. Turk était bien trop poli pour se réjouir de la victoire qu'il avait remportée sur Faruk sans lever le petit doigt, et Faruk était suffisamment intelligent et plein de tact pour admettre la supériorité de Turk en la matière. Peut-être que les hostilités entre les factions d'Angondran pourraient vraiment être résolues par un discours raisonnable.

Chris s'occupe à monter le camp et fait semblant de ne pas remarquer l'échange entre les hommes. Le feu crépite et l'arôme enivrant de la viande rôtie emplit le camp. Le groupe est resté assis en silence jusqu'à ce que Turk retire la carcasse de sa broche et la déchire en quatre morceaux. Chris lui a apporté quatre grandes feuilles d'un buisson voisin, et il a posé les pièces dessus. Chris a ajouté des baies séchées et des tubercules coupés dans les assiettes de feuilles et les a tendues à Faruk et Emily.

Emily a rompu le silence. "A quelle distance sommes-nous du territoire d'Avitras ?"

"Encore deux jours de marche", répond Chris. "Mais c'est une promenade facile. Le pays n'est pas aussi accidenté que le terrain que nous avons traversé entre le territoire d'Ursidrean et le village. Nous n'aurons pas de problèmes."

"Les Avitras garderont leur frontière", fait remarquer Faruk.

Chris acquiesce. "Ils gardent leur frontière bien mieux surveillée que nous. Je me demande comment ils sont fixés pour la population. Ils n'ont peut-être pas les mêmes problèmes que nous."

Faruk a fait un signe de la main. "On ne sait jamais. Aquilla est en bons termes avec Renier. Il aurait pu détourner ses guerriers de la frontière felsienne pour garder cette partie de son territoire."

Turk a pris la parole. "Ce que tu veux dire, c'est qu'il aurait pu détourner ses guerriers vers cette partie de son territoire depuis que les Ursidréens ont attaqué les Felsites. Il pourrait anticiper une attaque similaire non provoquée des Ursidréens contre les Avitras."

Faruk fronce les sourcils. Il a regardé le feu et a hoché la tête. "C'est vrai."

Turk l'a regardé, mais comme Faruk n'a rien dit de plus, Turk a reporté son attention sur sa nourriture. Emily s'est hérissée. "Personne ne sait mieux que Donen à quel point son attaque contre le Felsite était malavisée. Je suis resté avec lui et sa famille dans la ville, et il le regrette tellement qu'il a envoyé un mot à Renier pour demander la paix entre nos factions. Il n'aurait jamais attaqué les Felsites si le Conseil suprême ne lui avait pas ordonné de le faire."

Turk a écouté, mais Chris a répondu à la place. "Je suis sûr que toutes nos factions ont des raisons de faire des choses que les autres ne comprennent pas. Nous avons tous beaucoup de travail à faire pour faire la paix les uns avec les autres."

Emily lève les yeux vers le visage de Chris. La même lumière claire brille dans les yeux de Chris. "Tu penses que nous toutes, les femmes humaines, pourrions contribuer à ramener la paix à Angondra ? Nous sommes une force neutre, et nous sommes dans toutes les factions. Nous pourrions les réunir."

Chris a souri, mais elle a secoué la tête. "C'est une belle idée, mais je ne mettrais pas trop d'espoir là-dedans si j'étais toi. D'une part, les femmes humaines de cette planète se sont intégrées à leurs factions. Je suis Lycaon maintenant, aussi Lycaon que Turk ou Caleb ou n'importe quel membre de sa famille. Je sais que Marissa pense la même chose. Et Carmen, la compagne de Renier, se sent pleinement felsienne. Je suis sûre qu'Aria se considère comme une Ursidréenne."

Emily a hoché la tête. "Elle a quatre fils avec Donen".

"Même toi, tu le fais maintenant", fait remarquer Chris. "Tu fais référence aux Ursidréens comme étant ta propre faction. Nous nous efforcerons tous de défendre nos factions. Regarde ta cousine Aimee. Elle a rejoint les guerriers lycaons pour défendre notre frontière. Je suis sûr que d'autres feront la même chose."

Emily regarde fixement le feu. "Tu as raison. Je prendrais les armes pour défendre les Ursidréens s'il le fallait."

"Et autre chose, poursuit Chris, il n'y a pas de femmes humaines chez les Aqinas. Nous ne pourrions pas les faire monter à bord de ton train de la paix."

La tête d'Emily s'est levée. Puis elle a baissé les yeux et a souri. "Je suppose que c'est une chimère idéaliste".

"Mais une bonne", a répondu Chris. "Tu devrais être fière de toi car tu veux ce qu'il y a de mieux pour tous Angondra".

"C'est ma maison maintenant, n'est-ce pas ?" Emily a demandé. "Je vais vivre ici pour le reste de ma vie, et je vais avoir de la famille ici comme vous tous. Je ne veux pas penser que mon peuple ou qui que ce soit d'autre parte à la guerre si je peux faire quelque chose pour l'éviter."

Chris s'est allongée sur le sol, les flammes vacillant sur ses joues. "Nous verrons Aquilla dans quelques jours. Nous allons découvrir s'il ressent la même chose."

"Connais-tu son compagnon ?" Emily a demandé. "Connais-tu la femme qui est allée vivre avec lui ?"

Chris a secoué la tête. "Je sais qu'elle s'appelle Pénélope Ann. C'est tout ce que je sais d'elle."

Emily a fermé les yeux contre la chaleur pénétrante. "Aria la connaît".

# Chapitre 11

"Ça y est". Turk sortit sa courte lame courbée de sa tunique. Chris a également sorti une lame, et Faruk a chargé son réciprocateur. "C'est le territoire d'Avitras".

Emily a contemplé le précipice rocheux dans un jardin luxuriant d'arbres à fleurs dégoulinant de lianes. Les cris des animaux résonnent dans la canopée, mais rien d'autre ne bouge en bas. Des rochers parsèment le paysage.

Emily ne voulait pas entrer sur le territoire d'Avitras sur un pied hostile, mais elle a copié les autres et sorti son réciprocateur. Elle ne savait toujours pas comment l'utiliser, mais au moins, elle l'aurait sorti et dans la main au cas où quelque chose arriverait. Turk a commencé à descendre la pente. Il sautait de bloc en bloc avec des ressorts légers. Chris et lui ont attendu en bas que Faruk et Emily descendent, ce qui a pris beaucoup plus de temps.

En bas, Turk s'est arrêté et a fixé Emily d'un regard dur. "Écoute-moi. Lorsque nous arriverons dans ces arbres, les gardes-frontières d'Avitras nous encercleront. Lorsqu'ils exigeront de savoir ce que nous faisons ici, tout dépendra de toi. Tu dois t'avancer et les convaincre que tu es ici à la recherche de tes sœurs. Tu comprends ?"

Emily a hoché la tête, trop surprise pour dire quoi que ce soit.

"Quand ils voient un Lycaon et un Ursidrean de leur côté de la frontière", poursuit-il, "ils supposent le pire. Tu dois prendre les devants et commencer à parler rapidement avant qu'ils ne nous tuent tous."

Emily le regarde fixement, mais Chris lui tend la main. "Tu lui fais peur".

"Elle devrait avoir peur", répond Turk. "J'espère seulement qu'elle est aussi effrayée que moi. Ce que tu as dit au ruisseau était vrai, Emily. Vous, les femmes humaines, pouvez négocier avec différentes factions comme aucun Angondran ne peut le faire. Les gardes-frontières t'écouteront. Ils ne nous écoutent pas. Toutes nos vies sont entre tes mains".

Emily déglutit. "Je comprends. Je les convaincrai."

"Bien. Je pense que tu ferais mieux de montrer la voie." Il a pointé du doigt les arbres. "Continue tout droit. Ces arbres se trouvent sur le territoire d'Avitras. Tu ne peux pas te tromper, et les gardes-frontières ne nous laisseront pas passer très loin sur leur territoire avant de se montrer et d'essayer de nous arrêter."

Emily a hoché la tête en guise de réponse muette et s'est retournée. Chris a murmuré à son oreille. "Nous serons juste derrière vous".

Emily a gardé les yeux fixés sur les arbres. Les Avitras l'y attendaient. D'après son expérience d'Angondra jusqu'à présent, ils étaient probablement en train de regarder les étrangers qui s'approchaient en ce moment même.

"Encore une chose". Turk s'est contenté d'un murmure rauque. "Les Avitras n'ont pas d'armes aussi avancées que les tiennes. Ils utilisent des lances et des bâtons munis de lames à leur extrémité. S'il faut se battre, nous nous battrons au corps à corps."

"Je ne le serai pas". Faruk a soulevé son réciprocateur.

Turk a découpé l'air avec sa main. "S'ils nous attaquent, repliez-vous sur notre frontière. Ils ne traverseront pas le territoire des lycaons. Ne sois pas un héros. Sauvez vos vies et repliez-vous. Tu m'entends ?"

Emily et Chris ont hoché la tête. Même le réciprocateur dans la main d'Emily ne lui apporte aucun réconfort. Même Faruk a hoché la tête. "Nous nous replierons".

Emily se racle la gorge. "On n'en viendra pas à se battre parce que je les convaincrai. Si nous avions l'intention d'envahir, nous n'aurions pas amené un lycaon, un ursidréen et deux femmes humaines. Les Avitras sont intelligents, tout comme le reste du peuple d'Angondran. Ils m'écouteront."

Elle s'est mise en route vers les arbres. Elle garde son attention devant elle et bloque le bruit des pas derrière elle. Les mots de Turk résonnent dans ses oreilles. Ses amis dépendaient d'elle. Elle se promène à travers les arbres, mais avant d'y arriver, elle a une idée. Elle a rangé son réciprocateur dans sa chemise, à l'abri des regards. Lorsqu'elle ferait face aux Avitras, ils verraient qu'elle n'est pas armée.

Les arbres se sont refermés au-dessus de sa tête et les feuilles ont bloqué le soleil. Sa peau rampait à cause du froid, et elle marchait plus vite. D'un moment à l'autre......Elle s'attendait à entendre un craquement de branches ou un bruissement de feuilles, mais au moment de l'affrontement, les Avitra sont apparus de nulle part sans un bruit. Ils se sont matérialisés à partir de l'air et, en une fraction d'instant, ils ont entouré le groupe. Leurs bâtons ont formé un anneau autour d'eux pour qu'ils ne puissent pas bouger.

Les voyageurs ont instinctivement formé un autre anneau tourné vers l'extérieur pour faire face à leurs ravisseurs, et Turk et Chris ont brandi leurs armes. Faruk seul a gardé son sang-froid et a tenu son réciprocateur à côté de sa jambe. Emily s'est remise de sa surprise et a levé ses deux mains vides, les paumes exposées, pour que les Avitras puissent les voir. Elle n'a pas osé faire un pas en avant.

De grandes couronnes de plumes entourent la tête des Avitras à la place des cheveux. Certains avaient des plumes aux couleurs vives, tandis que d'autres avaient des couleurs plus discrètes, comme le gris, le marron et le feu. Des plumes couraient le long de leurs bras et de leurs jambes, et chaque membre du groupe était plus grand que Faruk. Ils menacent le groupe avec leurs lances. "Vous avez envahi notre territoire. Prépare-toi à payer la pénalité."

Emily a haussé le ton. "Je suis Emily Allen. J'étais à bord du transport romarien qui s'est écrasé sur le territoire lycaon. Mes sœurs Frieda et Anna sont venues dans ta faction, et j'essaie de les retrouver. Écoute-moi, s'il te plaît. Nous venons en paix. Nous n'avons jamais eu l'intention d'envahir ton territoire. Je veux seulement retrouver mes sœurs."

L'Avitras aux plumes les plus brillantes balança son bâton, et les lames des deux extrémités sifflèrent dans l'air. Quelque chose dans son comportement indique à Emily qu'il est le chef de ce groupe. Serait-ce Aquilla, l'Alpha d'Avitras ? Elle devait avancer avec légèreté ici et faire en sorte que son attention soit détournée de Faruk.

"Comment osez-vous pénétrer sur notre territoire sans permission ?" a-t-il tonné. "La peine pour avoir envahi notre territoire est la mort". Emily ouvrit la bouche pour parler, mais il la coupa d'un coup de bâton. "Si tu voulais retrouver tes sœurs, tu aurais pu envoyer un message".

Emily a levé les mains en signe de soumission. Cette position lui donne l'impression d'être un criminel en état d'arrestation. Elle devait changer cette conversation. "Tu es Aquilla ? Peux-tu m'emmener chez mes sœurs ? Tu dois savoir quelles femelles sont entrées dans ta faction en provenance du Lycaon. Connais-tu des femmes qui s'appellent Frieda et Anna Evans ?"

Il a froncé les sourcils, mais il n'a pas attaqué. "Je ne suis pas Aquilla. Je suis Piwaka, capitaine de la garde. Aquilla patrouille actuellement de l'autre côté de notre territoire. Mais sa compagne Penelope Ann connaît toutes les femelles humaines qui sont entrées sur notre territoire. Si tes sœurs sont ici, elle saura où elles se trouvent."

Le moral d'Emily a grimpé en flèche. "Peux-tu me conduire à elle ? Mes amis et moi venons en paix. Nous laisserons nos armes derrière nous pour le prouver si tu le veux."

Turk lui a jeté un regard terrible, mais Emily a tenu bon. Elle devait offrir à cet homme une certaine assurance quant à leurs intentions. Il ne l'écouterait jamais avec les armes dégainées pour la bataille. Piwaka scrute le groupe, mais il ne bouge pas. Emily a lu les pensées qui traversaient son esprit. Elle a touché le coude de Chris. "Baissez vos armes".

Turk laissa échapper un grognement vicieux, et l'un des gardes lui donna un coup de lance. Emily a élevé la voix et a rugi contre Turk. "Baissez vos armes !"

Il lui a obéi instantanément. Sa lame pendait à son côté, et les poils de sa nuque étaient couchés. Le grognement est mort sur ses lèvres. Chris a également abaissé sa lame. Emily a passé le groupe en revue. Puis elle a donné un coup de coude à Faruk. "Range ton réciprocateur, Faruk. Nous devons leur montrer que nos intentions sont pacifiques."

Il a hésité. "Nous serons à leur merci".

Emily a hoché la tête. "C'est la seule façon pour qu'ils nous fassent confiance".

Faruk a fixé ses yeux sur Piwaka. Puis il a enfoncé son réciprocateur à l'intérieur de ses vêtements. Emily se tourne vers le capitaine de la garde. "Nous ne nous battrons pas contre toi ni contre les autres Avitras. Nous sommes seulement venus chercher mes sœurs, et une fois que j'aurai vu qu'elles vont bien, nous partirons. Je le jure."

Piwaka a penché la tête et a cligné ses yeux brillants vers elle. Le soleil étincelait sur ses plumes. "Très bien. Je t'emmènerai à Pénélope Ann, mais tu devras marcher dans notre cercle comme nos prisonniers. Je vous autorise à garder vos armes, mais nous ne pouvons pas prendre le risque que vous décidiez de les utiliser."

Emily a de nouveau hoché la tête. "Nous accepterons toutes les conditions que tu nous donnes, tant que nous retrouvons mes sœurs. Aucun de nous n'utilisera d'arme, et tu peux prendre toutes les précautions nécessaires pour en être certain."

Il a fait un signe de la main et s'est écarté pour faire un trou dans le cercle. Emily s'est avancée, et le cercle s'est déplacé avec elles à travers les arbres. Faruk est venu à ses côtés. Il n'a rien dit et elle a glissé sa main dans la sienne. Le confort familier de sa présence lui donne confiance. Elle était en route pour aller voir ses sœurs.

# Chapitre 12

Piwaka s'est arrêté au pied d'un énorme arbre. "C'est l'arbre d'Aquilla. Tu trouveras Penelope Ann au sommet".

Emily regarde autour d'elle. "Comment vais-je monter là-haut ?"

"Grimpe", lui a-t-il dit.

Emily a étudié le tronc et a trouvé des poignées sculptées dans le bois. Ou s'agit-il de caractéristiques naturelles de l'écorce ? "Je suppose qu'il n'y a qu'une seule façon de le savoir".

Faruk a tendu la main pour toucher le tronc, mais Piwaka l'a bloqué avec son bâton. "Seul l'humain peut monter".

Les yeux de Faruk s'embrasent. "Là où Emily va, je vais".

Piwaka secoue la tête. Ses yeux brillent. "Non. C'est interdit. Elle est venue pour retrouver ses sœurs. Elle ira seule." Il a penché la tête dans l'autre sens. "A moins que tu n'aies aussi une sœur humaine à retrouver ?"

Faruk a plissé les yeux, mais il n'a pas répondu.

"Tout va bien, Faruk", lui a dit Emily. "Je vais y aller seul".

"C'est une mauvaise idée", marmonne Faruk.

Chris s'est avancé. "Et moi ? Je suis aussi un humain."

Piwaka secoue la tête. "Non."

Emily a levé la main vers ses amis. "Ce n'est pas grave. J'irai. C'est moi qui veux tellement les voir".

"Et s'ils décident de te garder ici ?" demande Faruk. "Nous pourrions ne pas te retrouver".

Emily a passé en revue les gardes-frontières. "Je ne pense pas qu'il y ait beaucoup de chances qu'ils veuillent nous garder".

"S'ils changent d'avis à ton sujet", a grogné Turk, "ils pourraient tous nous tuer".

Emily a jeté un coup d'œil à Piwaka. "Ils l'auraient déjà fait s'ils avaient l'intention de le faire. Il m'a fait venir ici pour demander à Pénélope Ann des nouvelles de mes sœurs. Je vais monter et voir ce qu'elle dit. Ensuite, nous retournerons sur le territoire de Lycaon."

Faruk lui a touché la main. "Ne tarde pas trop".

Elle l'aurait embrassé à ce moment-là si Piwaka n'avait pas regardé et écouté, la tête sur le côté. Il clignait des yeux comme un oiseau, mais ses yeux pétillaient d'une façon qui lui faisait penser qu'il pouvait être une personne gentille sous son apparence de capitaine de la garde.

Elle met sa main dans la première poignée et s'y agrippe fermement. "Je reviens bientôt".

Elle ne s'est pas laissé le temps d'hésiter, et une fois qu'elle a commencé à grimper, elle a refusé de regarder en bas. Elle en a appris autant sur l'escalade dans le cadre de la recherche et du sauvetage. Elle a gardé son regard fixé sur la cime des arbres au-dessus d'elle. Ce qu'elle trouverait là-haut, elle ne pouvait que le deviner. Chaque étape de son voyage l'a amenée à ce moment.

Ses jambes et ses bras brûlent à force de grimper. La solide voûte d'arbres au-dessus de sa tête se rapproche, mais une grande étendue de troncs la sépare encore de la cime. Elle s'est arrêtée plus d'une fois pour reprendre son souffle et reposer ses muscles avant de pousser plus loin.

Après ce qui lui a semblé être des heures d'escalade, elle a pu distinguer une forme dans la cime des arbres au-dessus d'elle. Une masse sombre de branches s'agglutinait parmi le feuillage, et lorsqu'elle lutta plus haut, elle reconnut qu'il s'agissait d'une petite maison. Son rythme cardiaque s'est accéléré et elle a grimpé plus vite. Plus près du sommet, elle a repéré une tête qui la regardait par-dessus la rambarde du balcon. Des cheveux blonds pendent de part et d'autre de celle-ci.

La douleur dans ses muscles a disparu et elle a souri au visage, mais celui-ci ne lui a pas rendu son sourire. Il la regarde comme s'il n'avait jamais vu d'être humain auparavant, mais plus elle s'approche, plus Emily est certaine que le visage est humain et féminin. Elle s'est hissée jusqu'au balcon et a jeté sa jambe par-dessus la balustrade.

La femme a pris du recul et l'a regardée. "Vous n'êtes pas du transport, n'est-ce pas ?"

Emily la regarde fixement. "Es-tu Penelope Ann ?"

La femme a hoché la tête. "Qui t'a dit ça ?"

Emily a fait un geste vers le sol. "Piwaka m'a dit que je te trouverais ici. Il a dit que c'était ton arbre".

Penelope Ann a de nouveau jeté un coup d'œil par-dessus la balustrade. "Tu as amené des Ursidréens et des Lycaons ici avec toi. Tu n'aurais pas dû faire ça. Aquilla n'aimera pas ça. Piwaka n'aurait pas dû les laisser franchir la frontière."

"Il n'y a qu'un seul lycaon et un seul ursidréen", lui a dit Emily. "Il les a laissés traverser parce qu'ils sont venus ici pour m'aider. Nous avons appris que mes sœurs sont venues te voir, et Piwaka dit que tu connais toutes les femmes humaines qui sont venues chez les Avitras."

"C'est vrai", a répondu Penelope Ann. "Mais je n'aide ni les ursidréens ni les lycaons. Ce sont nos ennemis."

"Tu ne les aideras pas", lui a dit Emily. "Tu vas m'aider".

Penelope Ann a haussé les épaules. "Qui sont tes sœurs ?"

"Frieda et Anna Evans", répond Emily.

Penelope Ann commençait à dire quelque chose quand une ombre a franchi la porte de la maison. Une voix familière les fait sursauter. "Emily ! Qu'est-ce que tu fais ici ?"

Emily s'est retournée. Une grande femme aux cheveux bruns raides rebondissant sur ses épaules s'est présentée à la porte. "Anna !"

Les sœurs se sont précipitées dans les bras les unes des autres. Ils se sont serrés l'un contre l'autre et n'ont pas voulu se lâcher pendant un long moment. Penelope Ann les a regardés sans rien dire. Anna a pris les mains d'Emily. "Viens à l'intérieur. Tu dois être affamée."

Emily a laissé sa sœur la guider dans la maison et l'asseoir sur un siège bas près de la fenêtre. Anna lui a mis un plat en bois dans les mains, mais Emily n'a pas regardé la nourriture. Ses yeux dévorent sa sœur perdue de vue depuis longtemps. "Tu ne sais pas à quel point c'est bon de te revoir. Je me faisais un sang d'encre pour toi. Comment es-tu arrivé ici ?"

"Tu as peut-être entendu", a répondu Anna. "Les factions ont envoyé des messages de tout Angondra aux Lycaons, demandant que les femmes de la Terre viennent à eux. Toutes les factions sont désespérément à la recherche de femelles reproductrices. Cette planète est en grave danger."

Emily a hoché la tête. " J'ai entendu. Tu as donc fait tout ce chemin à pied depuis le territoire de Lycaon ? Cela a dû être difficile."

"Pas toute seule", répond Anna. "Les guerriers lycaons nous ont escortés jusqu'à la frontière. Ensuite, les gardes-frontières d'Avitras nous ont amenés ici et Penelope Ann s'est occupée de nous jusqu'à ce que nous nous installions. Elle a été un ange pour nous."

Emily a jeté un regard en coin à Penelope Ann. Elle se tenait sur le côté et observait les sœurs ensemble avec une expression distante et sans passion. Emily s'est retournée vers sa sœur. "As-tu déjà un compagnon ? As-tu trouvé un foyer et une famille ici avec les Avitras ?"

"Pas encore", répond Anna. "Penelope Ann m'a laissé rester ici jusqu'à ce que je trouve une maison plus permanente, mais je n'ai pas encore décidé où je vais aller ni ce que je vais faire."

"Je suis sûre qu'il y a plein d'hommes qui seraient ravis de t'avoir", remarque Emily.

Anna a haussé les épaules. "Il n'y a pas d'urgence. Sur Angondra, ce sont les femelles qui choisissent leurs compagnons. Les hommes attendent qu'une femme les choisisse."

Emily baisse les yeux. "Je sais".

"Et toi ?" Anna a demandé. "Tu es magnifique. Je ne t'ai pas vu en si bonne santé et si heureux depuis que tu as quitté la recherche et le sauvetage."

Emily n'a pas pu s'empêcher de sourire. "Peut-être que c'est à cause de toutes les randonnées que j'ai faites dans ces montagnes. Je suis resté dans le coma à l'infirmerie d'Ursidrean pendant six mois. Ensuite, j'ai décidé de te retrouver, toi, Frieda et Aimee. Faruk --- Je veux dire, l'infirmier de la patrouille frontalière qui m'a trouvé...."

"Je t'ai trouvé où ?" Anna l'a interrompue.

Emily a pris une grande inspiration. "Lorsque le vaisseau Romarie s'est brisé dans l'atmosphère, j'ai été éjecté. J'ai atterri en territoire ursidéen, et Faruk m'a trouvé et ramené à la ville. Il m'a sauvé la vie".

Anna la regarde fixement. "Je vois ça".

Emily a rougi. "Quand j'ai été suffisamment rétabli, il a accepté de m'emmener à la frontière de Lycaon pour que je puisse découvrir ce qui t'est arrivé. C'est là que j'ai rencontré Chris et Turk."

"Qui sont-ils ?" Anna a demandé.

"Turk est le frère jumeau de Caleb, l'Alpha des Lycaons", répond Emily. "Chris est son compagnon humain. Ils m'ont emmené au village de Lycaon, où j'ai trouvé Aimee. Elle m'a dit que toi et Frieda étiez ici".

Anna a hoché la tête. "Aimee a vraiment changé".

Emily regarde autour d'elle. "Où est Frieda ?

Anna a jeté un coup d'œil à Penelope Ann. "C'est ça le problème. Nous ne savons pas."

Emily a commencé. "Comment ça, tu ne sais pas ?"

Anna s'est déplacée sur son siège. "Frieda a disparu il y a deux jours. Une minute, elle se tenait sur le balcon de la maison de notre amie Tea. La minute suivante, je me suis retourné et elle était partie. Nous ne savons pas ce qui lui est arrivé. Piwaka et ses gardes ont fouillé tout le territoire, mais ils n'ont jamais trouvé la moindre trace d'elle. Ils n'ont jamais trouvé la moindre trace de pas sur le sol."

Emily fronce les sourcils. "Ce n'est pas possible".

Anna a hoché la tête. "Je sais. C'est ce que nous avons tous pensé. Au début, nous avons pensé qu'elle avait dû tomber du balcon. Il faut du temps pour développer l'équilibre et la coordination nécessaires pour vivre là-haut sans tomber. Mais si elle était tombée, nous l'aurions retrouvée soit dans les branches sous le balcon, soit par terre. Elle n'était nulle part. Ils n'ont jamais trouvé la moindre goutte de sang sous ce balcon."

Emily secoue la tête. "C'est impossible. Elle ne peut pas s'être évaporée dans la nature".

"Crois-moi", lui dit Anna. "Personne n'est plus mystifié que nous par cette situation. Les Avitras sont les plus préoccupés par cette question. Ils feraient n'importe quoi pour savoir où se trouve Frieda".

Emily s'est levée d'un bond. "Nous devons la trouver".

Anna l'a ramenée vers le bas. "Les meilleures personnes pour la trouver sont déjà en train de la chercher. C'est pourquoi Aquilla n'est pas là. Il rassemble tous ses gardes pour la retrouver. Si tu veux savoir ce qui lui est arrivé, tu dois rester ici avec moi. Dès qu'ils trouveront quelque chose, ils relaieront l'information ici et nous serons les premiers à la connaître."

Emily s'est assise à côté de sa sœur avec un lourd soupir.

"Nous allons te trouver un endroit où passer la nuit", lui a dit Anna. "Tu n'es pas obligée de retourner chez les Ursidréens. Reste ici avec moi."

Pénélope Ann prend la parole pour la première fois. "Tu ne peux pas rester ici. Si Aquilla découvre que tu as amené un Ursidrien ici, il tuera tout ton groupe. Il ne supporte pas ces bêtes poilues".

Emily s'est raidie. "Les Ursidréens ne sont pas des bêtes poilues. Je pourrais dire que les Avitras sont des monstres à plumes."

Penelope Ann serre les dents, mais avant qu'elle ne puisse répondre, Anna pose sa main sur le bras d'Emily. "Nous sommes ensemble maintenant. Tu peux dire à tes amis que tu n'as plus besoin de leur aide. Tu peux rester ici avec nous."

Emily se lève à nouveau. "Je suis désolé, Anna. J'aimerais pouvoir rester avec toi, mais j'ai promis à Faruk de revenir. Ma place est maintenant chez les Ursidréens. Si nous ne sommes pas les bienvenus ici, nous retournerons sur notre propre territoire. Je sais que Turk et Chris veulent aussi retourner dans leur propre village."

Anna s'est levée. "Quand est-ce que je te reverrai ? Comment te ferais-je savoir ce que nous découvrirons au sujet de Frieda ?"

"Je ne sais pas", a répondu Emily. "Peut-être que tu peux m'envoyer un message par l'intermédiaire du Lycaon. Tu peux envoyer un message à Aimee, et sa troupe de guerriers pourra relayer l'information à la patrouille frontalière d'Ursidrean. J'ai l'impression que les Ursidréens vont être en meilleurs termes avec les Lycaons à partir de maintenant."

Anna l'a suivie jusqu'à la porte. "J'aimerais bien que tu n'aies pas à partir si tôt. Tu viens juste d'arriver".

Emily jette un dernier regard en direction de Penelope Ann. "Moi aussi, mais nous nous reverrons. J'en suis sûr. Je suis vraiment contente que tu sois heureuse ici. Je sais que tu t'installeras et que tu feras un foyer pour toi-même."

"Et je suis sûr que tu seras heureux avec...." Elle a souri. "Avec Faruk.

Emily a serré sa sœur dans ses bras une dernière fois. Penelope Ann ne s'est pas approchée de la balustrade pour lui dire au revoir. Emily a fait passer sa jambe par-dessus la rambarde et a commencé à descendre le long du tronc d'arbre. Anna leaned over the side and waved to her until she climbed out of sight.

# Chapitre 13

Emily a sauté sur le sol. Ses amis se pressent autour d'elle. "Tu les as trouvés ? Où sont-ils ? Est-ce qu'ils vont bien ?"

Emily reprend son souffle. Elle jette un coup d'œil aux gardes-frontières. "Sortons d'ici".

Piwaka a cligné des yeux en la regardant, mais il n'a rien dit. Lui et sa bande ont gardé un cercle étroit autour du groupe et les ont escortés hors du territoire d'Avitras. Personne ne parla jusqu'à ce qu'ils arrivent au pied de la colline qui mène au territoire lycaon. Le Piwaka fait signe à ses hommes et le cercle s'ouvre.

Emily lui fait une révérence et s'éloigne en remontant la colline. Les autres marchent à reculons derrière elle. Piwaka et ses hommes forment une ligne au bas de la colline. Juste avant de disparaître entre les arbres, Piwaka incline la tête vers Emily. Le même sourire énigmatique jouait sur son visage.

Dès que les gardes-frontières d'Avitras sont tombés hors de vue, Emily et ses amis se sont retournés et ont grimpé la colline. Ils ne se sont pas arrêtés avant d'arriver à l'endroit où Turk a dit à Emily de prendre les devants. Elle a jeté un coup d'œil par-dessus son épaule. Puis elle s'est effondrée sur le sol et a serré ses genoux contre sa poitrine.

Chris s'est précipité à ses côtés. "Qu'est-ce qui s'est passé là-bas ? Tes sœurs vont bien ?"

Emily pousse un soupir tremblant. "L'un d'entre eux l'est".

"Où est l'autre ?" demande Faruk. "Est-elle...."

Emily secoue la tête. "Ils ne savent pas où elle se trouve. Elle a disparu."

Faruk fronce les sourcils. Chris a commencé à répondre. Qu'est-ce que tu veux dire par "disparu" ?

Emily a pris une grande inspiration. "Ma sœur Anna est là. Elle reste avec Penelope Ann... et Aquilla... jusqu'à ce qu'elle s'installe définitivement chez elle. Elle a l'air en pleine forme et elle est heureuse là-bas. C'est Frieda qui a disparu".

"Qu'est-ce qui lui est arrivé ?" Chris a demandé.

"Personne ne le sait", a répondu Emily. "Elle se tenait sur un balcon près de l'une des maisons. La minute suivante, elle avait disparu. Les Avitras ont fouillé tout leur territoire pour la retrouver et n'ont jamais trouvé de trace. C'est pourquoi Aquilla n'était pas là. Il demande à ses gardes de partir à sa recherche. Ils n'ont jamais retrouvé son corps ni même une goutte de sang sous le balcon où elle a disparu."

Chris et Turk ont échangé un regard. "C'est impossible".

"C'est ce que j'ai dit", a répondu Emily. "C'est ce que tout le monde dit".

"Alors qu'est-ce qu'on va faire ?" Chris a demandé. "Nous ne pouvons pas partir comme ça. Nous avons fait tout ce chemin pour savoir ce qui est arrivé à tes sœurs."

Emily s'est levée. "Nous devons partir. Nous ne pouvons pas rester ici. Penelope Ann a dit qu'Aquilla pourrait tuer tout notre groupe s'il revenait et trouvait un Ursidrien sur son territoire. Je suppose qu'il est encore brûlant à l'idée qu'un Ursidrien ait tué son frère."

"Alors, qu'est-ce que tu vas faire ?" demande Faruk. "Tu pourrais rester jusqu'à ce qu'ils trouvent ta sœur, et nous pourrions repartir......I mean....".

Emily lui a souri. "Je ne resterai pas sans toi. Tu as fait tout ce chemin pour m'aider. Si tu n'es pas le bienvenu ici, je ne reste pas non plus. S'ils trouvent Frieda, ils pourront envoyer un message aux Lycaons. Je suis sûre qu'Anna informera Aimee, et Aimee pourra me faire passer le message par l'intermédiaire des guerriers de la frontière ursidrienne."

Faruk se frotte le menton. "Ce n'est pas bon du tout".

Emily a fait un signe de la main par-dessus son épaule et a commencé à reprendre le chemin qu'elles avaient emprunté. "Les Avitra n'ont pas la moindre idée de l'endroit où se trouve Frieda. Je resterais assis à attendre, et pour rien. Je ne vais pas risquer ta vie, celle de Chris et de Turk, et la promesse de notre vie ensemble, pour cela. Allons-y."

Faruk, Chris et Turk ont échangé un regard. Puis Faruk s'est mis à la suivre. Turk a fait un pas en avant, mais Chris l'a retenu. Faruk a rattrapé Emily à grandes enjambées. Il a marché à ses côtés pendant un moment. Ils ont traversé le sommet de la colline et sont descendus de l'autre côté dans les arbustes à la lisière de la forêt. Emily a regardé par-dessus son épaule. "Où sont les autres ?"

Faruk lui a pris la main. "Ils seront là dans une minute".

Emily a commencé à marcher plus vite. Sa main est restée molle dans la sienne. La charge habituelle de connexion incassable ne s'est pas traduite le long de son bras dans le reste de son corps comme elle le faisait d'habitude. Elle jette ses yeux dans tous les sens, à la recherche désespérée de quelque chose. "Nous devrions descendre jusqu'au ruisseau avant que la nuit ne s'installe. Nous devrons trouver un endroit pour camper."

Faruk n'a pas répondu. Une fois, elle a trébuché sur une branche tombée, et il l'a rattrapée par le bras. "Stabilise-toi".

Emily se ressaisit et regarde à nouveau derrière elle. "Où sont-ils ?"

Faruk s'est arrêté de marcher et l'a tournée vers lui. "Arrête une minute, Emily".

Elle a levé les yeux vers son visage. "Qu'est-ce que c'est ?"

Il l'a rapprochée de lui. "Il s'est passé quelque chose là-haut. Qu'est-ce que c'était ?"

Emily a cligné des yeux. Puis son menton est retombé sur sa poitrine. "Je te l'ai dit. Frieda est partie".

Il a saisi ses deux épaules et l'a mise face à lui. "Ce n'était pas ça. Dis-moi ce qui s'est passé."

Elle respire à pleins poumons. "Je ne savais pas...."

Il l'a regardée dans les yeux. "Tu ne savais pas quoi ?"

"Je ne sais pas où est Frieda", a-t-elle balbutié, "mais cela n'a plus d'importance. Si les Avitras nous avaient accueillis comme les Lycaons, je serais peut-être restée jusqu'à ce qu'ils la trouvent. J'aurais pu rester avec les Lycaons pendant des années et me sentir chez moi. Mais je ne pouvais pas rester là-bas sans toi. Je ne le savais pas jusqu'à ce que Penelope Ann me dise que je devais rester seule si je voulais rester. Je ne pouvais pas te tourner le dos. Je ne pouvais pas te laisser partir alors que je restais derrière, même pas pour Frieda."

Son expression s'est adoucie. "C'est ça ? C'est de cela qu'il s'agit ?"

Elle a fondu dans ses mains et il l'a attirée contre sa poitrine. "Je ne veux pas rester là-bas. I won't stay there even if it means I never find out what happened to Frieda. Je rentre à la maison avec toi".

Ses bras l'ont abritée et il a pressé ses lèvres contre ses cheveux. "Très bien. Rentrons à la maison."

Il est retourné chercher Chris et Turk, et ils se sont tous mis en route vers le village de Lycaon. Ils se sont arrêtés pour la nuit près du ruisseau, mais personne n'a parlé comme la veille. Emily regarde fixement le feu. Un millier de pensées se bousculent dans son esprit.

Chris et Turk se sont enroulés tôt dans leurs couvertures, mais Faruk s'est assis à côté d'Emily et a attendu qu'elle dise quelque chose. Au plus profond de la nuit, elle se réveille et se racle la gorge. "Tu devrais aussi aller dormir".

Il a reniflé. "Tu devrais aller dormir. Tu es le plus épuisé de nous tous."

Elle a levé la tête pour le regarder. "Je ne suis pas épuisé".

Il a secoué la tête. "C'est toi qui as traversé le plus de choses. Tu as besoin de te reposer. Tu as fait la course dans toute la campagne et maintenant tu as perdu Frieda. Tu ne devrais pas te pousser autant."

Emily a cligné des yeux devant les flammes. Ce n'est que maintenant qu'il l'a mentionné qu'elle a commencé à sentir le poids sur ses épaules. Elle ne découvrira peut-être jamais ce qui est arrivé à sa sœur. "Je n'irai plus faire des courses dans toute la campagne. Je me reposerai quand nous serons de retour à Harbeiz."

Le feu crépite. "As-tu réfléchi davantage à notre problème ?"

Elle n'a pas levé les yeux. "Non."

"Je l'ai fait", lui a-t-il dit.

La tête d'Emily s'est levée. "Tu l'as fait ? A quoi as-tu pensé ?"

"Je me suis dit que je pouvais renoncer à la montagne", a-t-il répondu. "Je me suis dit que j'allais dire à Donen que je voulais coordonner la formation de la patrouille frontalière depuis la ville au lieu de me rendre aux frontières pour le faire."

"Est-ce possible ?" demande-t-elle. "Je ne savais pas qu'il y avait un poste de coordinateur dans la ville".

"Il n'y en a pas", a-t-il répondu. "J'en inventerais un".

Ses yeux sont sortis de sa tête. "Donen va-t-il accepter cela ?"

"Vu les circonstances, je suis sûr qu'il le fera", a-t-il répondu. "Je suis responsable de la formation des patrouilles depuis des années, mais c'est moi qui ai choisi de le faire dans les montagnes plutôt qu'en ville. Les patrouilles reviennent en ville tous les quelques mois pour se réapprovisionner et rendre compte de leurs opérations. Il est logique qu'ils y fassent aussi leurs entraînements."

"Es-tu sûr de pouvoir être heureux avec ça ?" a-t-elle demandé. "Il se peut que tu aies parfois les pieds qui te démangent".

"Je suis certain que je le ferai", a-t-il répondu, "de nombreuses fois". L'avantage de ce plan, c'est que je peux aller en montagne pour m'y entraîner aussi. Mais je serai basé en ville, donc nous ne serons pas séparés comme nous le serions si je restais en patrouille."

Emily a hoché la tête. "Je suivrai n'importe quel plan qui te rendra heureuse. Je ne veux pas que tu sacrifies ton bonheur pour rester avec moi."

"Tu me rends heureux", a-t-il répondu.

"Tu n'aimais pas travailler à l'infirmerie parce que tu voulais être à la montagne", lui a-t-elle dit. "Qu'est-ce qui te fait penser que ce sera différent ?"

"Je ne serai pas à l'infirmerie", a-t-il répondu. "Je travaillerai avec les patrouilles frontalières et je serai dans les montagnes. Je serai juste dans les montagnes près de la ville, et je reviendrai là-bas quand j'aurai terminé. Quand l'envie de quitter la ville me démangera, j'irai."

Emily a souri pour la première fois depuis qu'elle a quitté les Avitras. "Il se peut que je vienne avec toi de temps en temps".

Il a passé son bras autour de son épaule. "Ce serait génial, et nous n'aurions pas à patrouiller aux frontières pour interférer avec le temps que nous passons ensemble. Nous pourrions simplement nous amuser."

Elle s'est installée dans son étreinte. "Ça a l'air parfait".

Ils ont écouté le feu siffler à travers les bûches. Les étoiles flamboyaient au-dessus de nos têtes, mais il n'y avait pas d'aurore. "Que penses-tu faire de retour en ville ?"

Emily a déplacé son poids. "Je ne sais pas. Je ne me suis pas donné l'occasion d'y réfléchir. J'ai beaucoup de compétences. Je suppose que je me présenterai au bassin d'emploi comme tout le monde et que je verrai ce qu'ils ont à m'offrir. Je ferais à peu près n'importe quoi tant que je ne suis pas dans l'armée."

"Cela exclut pratiquement tous les emplois sur leurs registres", lui a-t-il dit.

"Aria travaille à l'infirmerie", fait remarquer Emily. "Je suis sûr qu'il y a plein d'emplois civils que je pourrais faire. Les jeunes ont besoin d'être enseignés, les budgets doivent être équilibrés... c'est une ville ordinaire pleine de gens qui essaient de vivre leur vie. Cela demande du travail."

Il a respiré dans ses cheveux. "Tu trouveras ta place".

"Et tu seras là", a-t-elle poursuivi. "Je ne serai pas seul".

"Tu ne serais pas seule de toute façon", a-t-il fait remarquer. "Tu t'es fait des amis avec Aria et sa famille. Tu as une base pour commencer. D'une certaine manière, tu as plus de choses qui t'attendent à Harbeiz que moi."

"Qu'est-ce que tu veux dire ?" demande-t-elle. "Tu as vécu là toute ta vie".

"Je n'ai jamais eu de maison à moi là-bas", a-t-il répondu. "Je suis entré et sorti comme un vagabond. Je n'ai pas de véritables amis là-bas. C'est peut-être pour cela que je n'ai jamais voulu y retourner. Tous mes amis font partie de la patrouille frontalière."

Elle a enroulé ses bras autour de sa poitrine et l'a serré contre elle. "Je te protégerai".

Il a gloussé sous sa respiration. "Dieu merci, c'est une bonne chose. Je ne pourrais pas le supporter si tu ne le faisais pas".

Elle a levé son visage vers lui et ils ont partagé un long baiser. Le feu les réchauffe contre l'air vif de la nuit dans leur dos.

Il s'est éloigné. "Nous devrions aller dormir. Une longue randonnée nous attend demain."

Emily a tiré leurs couvertures autour d'elles et elles se sont allongées près du feu. Faruk la prend à nouveau dans ses bras. L'agréable chaleur du feu et sa présence protectrice la font somnoler. Elle ferma les yeux et se laissa flotter dans une brume rêveuse.

Elle contemple d'en haut tout le territoire qu'elle a parcouru. Le territoire de Lycaon, avec ses huttes basses et ses feux accueillants, se trouve au sud-est. Le territoire d'Avitras, où Aquilla et ses hommes cherchent encore Frieda, se trouve à l'ouest. Et le territoire d'Ursidrean, avec sa ville dynamique, se trouve au nord. Harbeiz flamboyait au loin de mille feux électriques, et un phare d'espoir et de contentement la rappelait à elle.

Son avenir lui faisait signe, avec des enfants qui dégringolaient autour de ses pieds et un travail utile qui l'attirait dans une communauté de personnes déterminées. Et toute la vision bénie est venue de Faruk. Elle a jailli de la fontaine de son amour et de sa connexion avec lui. Il l'a nourri, l'a entretenu et lui a donné la vie.

Elle lui a ouvert son corps et son âme, et l'a embrassé, ainsi que la vision et la vie qui émanaient de lui. Il en a planté les graines en elle, et entre eux, c'est devenu réel.

# Chapitre 14

Chris se protège les yeux du soleil. Elle contemple l'étendue de la forêt sans piste jusqu'à l'intérieur du territoire de Lycaon. "Le voilà. C'est bon d'être à la maison."

"Nous ne sommes pas encore rentrés à la maison", a répondu Turk. "Nous avons de longs kilomètres à mettre derrière nous avant de revenir au village".

Chris a commencé à avancer. "Alors nous ferions mieux de nous mettre en route. La journée ne se rajeunit pas."

Emily ne regardait pas de ce côté-là, cependant. Elle fixe ses yeux sur l'horizon au nord. "Quelqu'un arrive".

Chris s'est retourné. "Où ?"

Emily a pointé du doigt. "On dirait qu'ils viennent d'Harbeiz".

"Quoi ?" Chris a demandé.

"La capitale des Ursidréens", explique Emily. "Et ils sont nombreux à venir. Regarde le nuage de poussière".

Faruk a plissé les yeux au loin. "On dirait que l'armée sort, et qu'elle se dirige vers l'ouest".

Emily s'est raidie. "C'est le territoire des Felsites".

"Ils nous envahissent à nouveau", a grogné Turk. "J'ai toujours su qu'ils le feraient".

"Ils ne peuvent pas l'être", s'exclame Emily. "Donen a juré de ne plus attaquer les autres factions. Je l'ai entendu le dire lui-même."

Faruk a secoué la tête. "On dirait qu'il a finalement perdu face au Conseil suprême. Je me demandais s'il aurait le pouvoir de s'opposer à eux, mais je suppose que chaque Alpha a une limite. Il ne peut pas contrevenir à son propre peuple."

Emily s'est éloignée en tourbillonnant. "Cela ne peut pas arriver, pas alors que nous rentrons à la maison avec la nouvelle que la paix est possible. Nous devons faire quelque chose pour les arrêter."

Faruk l'a suivie. "Que pouvons-nous faire ? Si l'armée est décidée à envahir, elle ne s'arrêtera pas pour deux personnes."

Emily a agité ses deux bras. "Nous ne pouvons pas laisser faire ça. Nous devons les intercepter et leur dire ce que nous savons. S'ils envahissent à nouveau la Felsite, l'une des deux factions, voire les deux, pourraient être complètement détruites. Peut-être que le Conseil suprême ne le sait pas, mais Donen, lui, le sait. Il ne peut pas laisser le peuple ursidéen tomber comme ça, et nous devons faire ce que nous pouvons pour l'en empêcher. C'est peut-être notre seule chance."

Faruk l'a rattrapée et l'a prise par la main. "Attends une minute, Emily. Arrête-toi et réfléchis."

Elle s'est retournée contre lui. " Je réfléchis. Si nous n'arrêtons pas cela, il n'y aura plus de Harbeiz où retourner. Il n'y aura pas de faction ursidréenne. Nous sommes les seuls à pouvoir leur transmettre ces informations à temps pour arrêter l'invasion."

Chris s'est avancé. "Je viens avec toi. Nous pouvons dire à Donen que les Lycaons sont dans le même bateau. Si nous le convainquons que toutes les autres factions ont la même pénurie d'hommes, nous pourrions arrêter la guerre avant qu'elle ne commence. Nous pourrions être les seuls à pouvoir le convaincre."

Turk est venu aux côtés de Chris. "Si nous voulons faire cela, nous devons agir rapidement. À la vitesse à laquelle ils se déplacent, cette colonne traversera le territoire felsique avant la fin de la journée. Nous n'arriverons pas à temps en marchant."

"Que pouvons-nous faire ?" Emily a demandé.

Chris a souri. "Nous pouvons courir".

Emily la regarde fixement. "Courir... là ? Il doit y avoir cinquante miles."

"Nous pouvons y arriver", lui a dit Chris. "Nous l'avons déjà fait auparavant".

"Tu pourrais", a répondu Faruk, "mais Emily et moi ne pouvons pas. D'abord, je suis trop grand et trop lourd pour me déplacer aussi vite et Emily n'a pas la condition physique pour le faire. Tu t'y es habitué pendant des mois, Chris, et Turk y vient naturellement. Mais nous ne pouvons pas le faire. Nous devrons trouver un autre moyen de nous y rendre."

"Nous pourrions vous précéder", a suggéré Chris. "Nous pourrions courir là-bas et arrêter la colonne et vous pourriez vous rattraper".

Faruk a secoué la tête. "Ça ne marchera pas. Si toi et Turk essayez de raisonner Donen, vous pourriez le rendre encore plus déterminé à mener à bien ce plan d'action. Non, l'information doit venir d'un Ursidréen, un Ursidréen qui a pénétré dans le territoire de Lycaon et dans celui d'Avitras et qui a vu la situation de ses propres yeux. Donen est un ami proche depuis des années. Je l'ai conseillé des dizaines de fois sur la situation à la frontière, et maintenant j'ai parlé personnellement à l'Alpha Lycaon et au capitaine Avitras des gardes-frontières. Il m'écoutera."

"Tu n'as toujours pas expliqué comment tu vas y arriver à temps", fait remarquer Turk.

Emily contemple la campagne. Puis son bras est sorti. "Voilà !"

Ses amis ont suivi son doigt pointé vers une ligne noire ciselée dans le paysage. Faruk aspire sa respiration entre ses dents. "Tu n'es pas sérieux !"

"C'est notre seule chance", lui a dit Emily. "Nous devons l'essayer".

"Excuse-moi, interrompt Chris, mais de quoi tu parles ?"

"Écoute", lui dit Emily. "Il y a un col qui coupe entre le territoire ursidrien et le territoire felsique. Elle mène à cet escarpement entre les deux territoires. Nous pouvons suivre le col et intercepter la colonne avant qu'elle ne franchisse la frontière."

"Tu es sûr ?" Chris a demandé. "Comment peux-tu le savoir d'ici ?"

"Emily a raison", lui dit Faruk. "Je connais toutes les frontières ursidréennes, et ce col traverse effectivement les deux territoires. Il nous fera contourner la colonne pour qu'ils aient à nous rencontrer avant de franchir la frontière."

"Allons-y". Emily a commencé à avancer, et Faruk est tombé à ses côtés. Il lui a pris la main.

Chris les appelle : "Hé, attendez une minute !"

"Nous n'avons pas une minute à attendre", a rappelé Emily. "Si tu viens, allons-y. Nous ne pouvons pas courir là-bas. C'est notre seule option."

Chris et Turk ont échangé un regard. Puis Turk a haussé les épaules et Chris et lui les ont rattrapés. Ils ont marché deux par deux en descendant la colline. "J'espère vraiment que tu sais ce que tu fais. J'avais hâte de retourner au village."

Emily a appelé par-dessus son épaule. "Tu n'es pas obligée de venir. Tu peux y retourner si tu le souhaites."

"C'est l'histoire d'Angondran qui est en train de se faire", répond Chris. "Je ne manquerais ça pour rien au monde".

Ils se sont faufilés entre les arbres. "Comment pouvons-nous trouver le col dans cette forêt ?" Emily a demandé. "Nous ne saurons pas si nous allons dans la bonne direction".

"Je sais comment le trouver", lui dit Faruk. "La rivière qui traverse le col a sa source au pied de cette montagne. Tout ce que nous avons à faire, c'est de descendre cette montagne et de suivre l'eau. Elle nous mènera au col, et la rivière traverse le territoire felsite pour se rendre à la mer. La colonne ne pourra pas entrer en territoire felsique sans traverser la rivière."

Sa main a donné à Emily toute la confiance dont elle avait besoin. Elle a descendu la montagne d'un pas léger, mais au bout d'une heure ou deux, ils ne pouvaient plus marcher côte à côte. Elle a lâché la main de Faruk et serait tombée derrière lui, mais il s'est accroché et l'a laissée prendre la position de devant. C'était sa mission. Elle s'est lancée à travers les arbres.

La forêt était dense autour d'eux, si bien qu'ils ont dû se tourner de côté pour se faufiler entre les troncs. Ils se sont esquivés à travers des enchevêtrements d'arbustes jusqu'à ce que la colline s'écroule à leurs pieds dans des ravins abrupts. Faruk a regardé vers le bas dans un canyon sombre. "Tu ne courrais pas vers le bas".

"Et maintenant ?" Chris a demandé.

Emily penche la tête. "Je peux entendre de l'eau en bas".

Faruk a fait un signe de la main. "Par ici. Nous pouvons suivre le ravin jusqu'à ce que nous trouvions un endroit où descendre."

"Le col ne fera que devenir plus raide", a fait remarquer Emily. "Nous pouvions voir cette coupe noire depuis tout le sommet de la montagne. Cela signifie que les murs étaient assez hauts."

"Ils le sont", a répondu Faruk. "Mais c'est loin d'être le cas. Nous pouvons descendre jusqu'à l'eau plus loin."

Emily s'est laissée tomber derrière lui. Il connaissait le terrain mieux que quiconque. Il a continué à suivre la crête jusqu'à ce que, bien sûr, le ravin s'adoucisse et descende en pente vers la rivière à travers des collines ondulantes. Le groupe a trouvé un chemin bien fait qui court au bord de l'eau.

Turk a goûté l'eau et s'est claqué les lèvres. "Bien. Je suppose que les Ursidréens ne peuvent pas être si mauvais que ça s'ils ont un territoire comme celui-ci."

Faruk a ri. "Qu'en as-tu pensé ? Pensais-tu que notre territoire n'était fait que de grottes et de troncs pourris ?"

Turk a haussé les épaules. "Quelque chose comme ça".

"Nous avons tous beaucoup à apprendre les uns des autres", répond Faruk.

"Que ferons-nous si personne ne nous écoute et que notre peuple est à nouveau déchiré par la guerre ?". demande Turk.

Faruk a détourné le regard, mais les deux hommes ont continué à marcher côte à côte. "Nous ne laisserons pas cela se produire. Tant que des Alphas comme Caleb sont prêts à entendre raison, il y a toujours de l'espoir. Il ne nous reste plus qu'à convaincre Donen et Renier."

"Et Aquilla", a ajouté Emily. "Il déteste les Ursidréens plus que tout. Il pourrait être le plus difficile à convaincre."

Chris est venu à ses côtés et ils ont marché épaule contre épaule derrière les hommes. "J'ai réfléchi à ce que tu as dit".

"Qu'est-ce que j'ai dit ?" Emily a demandé.

"Tu as dit que nous, les femmes humaines, avions les meilleures chances d'apporter la paix sur cette planète", a répondu Chris. "Nous sommes neutres dans toutes ces petites guerres et ces conflits, et nous sommes dans toutes les factions".

"À l'exception des Aqinas", rétorque Emily.

"Mais les Aqinas ne sont en guerre avec personne", répond Chris. "Marissa m'a dit qu'ils servent généralement de négociateurs pour la paix lorsque les autres factions se battent".

"Aria m'a dit", rétorque Emily, "les Aqinas sont parfois les instigateurs des guerres. Elle a dit qu'ils peuvent déclencher une guerre sans que personne ne le sache, et qu'ils interviennent ensuite pour ramener la paix d'une manière qui favorise leurs intérêts. Elle a passé quelque temps avec les Felsite avant de s'accoupler avec Donen, et Renier lui a dit que c'est l'Aqinas qui a le plus profité du fait que les autres factions restent en conflit permanent. Si c'est vrai, ils pourraient être notre plus gros problème, surtout qu'il n'y a pas de femmes humaines parmi eux."

Chris fronce les sourcils. "Si c'est vrai".

"Sais-tu quelque chose sur les Aqinas ?" Emily a demandé.

Chris a secoué la tête. "Personne ne sait rien à leur sujet. C'est le même problème d'ignorance et de préjugés. Tout le monde impute des motifs à tous les autres parce qu'ils ne savent rien de leurs motifs. Tout ce que tu viens de me dire pourrait être un préjugé contre eux de la part des Felsite."

Emily a haussé les épaules. "Maybe."

Chris soupire. "Je ne comprends pas pourquoi nous ne pouvons pas tous vivre en paix. C'est déjà assez difficile de vivre à tant de kilomètres de ses amis, mais quand nos factions se battent et que des patrouilles frontalières hostiles vous séparent encore plus, cela me brise le cœur."

"Moi aussi", a répondu Emily. "Je me sens chez moi chez les Ursidréens et je veux rentrer à Harbeiz avec Faruk, mais pas avant d'avoir fait tout ce que je peux pour que nous soyons en sécurité - et je veux dire nous tous, tout Angondra."

Chris lui a pressé la main. "Je ressens la même chose. Je ne veux pas rentrer chez moi et me reposer avant d'avoir fait tout ce qu'il y a à faire pour que ce monde soit le meilleur possible pour mes enfants."

Emily regarde droit devant elle. "Tu as de la chance".

Chris la regarde fixement. "Pourquoi ai-je plus de chance que toi ? Tu as un homme bien pour rentrer chez toi. Tu as de bonnes personnes qui t'accueilleront à nouveau. Tu as tout ce que j'ai".

"Tu vis le rêve", a répondu Emily. "J'ai tout à attendre, mais tu le fais déjà. Tu es enceinte, tu as une famille qui t'attend au village, et tu as une douzaine ou plus de femmes humaines avec lesquelles tu dois vivre." Elle soupire. "Tu as Aimee".

"Tu auras tout cela et bien plus encore", lui a dit Chris. "Tu traverses une période incertaine, mais cela passera. Lorsque tu vivras dans ta ville depuis un certain temps, tu auras un réseau d'amis. Tu auras ton compagnon et tes enfants, et tu ne remarqueras même plus la différence entre humain et Angondran. Tu ne connaîtras que des gens."

"Ça a l'air merveilleux", a murmuré Emily.

"C'est vrai", a répondu Chris. "Nous avons eu de la chance quand nous nous sommes écrasés sur cette planète. Nous n'aurions pas pu demander une meilleure maison."

# Chapitre 15

Le soleil s'est couché au moment où ils ont franchi le col. Chris et Emily ne voyaient rien, mais Faruk et Turk les ont guidés dans l'obscurité. "Nous n'avons pas le temps de nous arrêter. Avec un peu de chance, la colonne s'arrêtera pour la nuit, et cela nous donnera le temps de les devancer."

L'anxiété a permis à Emily de rester concentrée. Elle ne quitte pas des yeux le dos imposant de Faruk contre la faible lumière des étoiles au-dessus de sa tête. Si seulement l'aurore sortait pour lui donner un peu de lumière pour voir. Mais il n'est pas sorti. Ses pieds ont trouvé leur place sur la roche lisse, mais elle ne voyait pas où elle allait.

Des murs de pierre noire s'élèvent de part et d'autre et occultent le peu de lumière qu'il y a. La rivière murmurait à ses côtés et coulait sur son lit de pierre jusqu'à la mer. Tant qu'il était là et qu'il lui tenait compagnie, elle pouvait être sûre d'aller dans la bonne direction.

Mais une fois qu'ils ont franchi le col, il n'y a plus qu'à descendre. Emily a regardé le ciel et s'est laissée guider par ses pieds. Chris et Turk marchent derrière elle. Personne n'a dit un mot pour troubler le calme. Emily a perdu la notion du temps. La nuit s'éternisait dans un rêve sans fin de pieds qui trompent et d'eau qui murmure.

Puis, d'un seul coup, le ciel a explosé dans un flamboiement d'or, d'argent et de violet. Emily a sursauté et ses yeux se sont ouverts. Elle pensait que l'aurore était enfin sortie pour éclairer leur chemin, mais en y regardant de plus près, les reflets lavande bordaient les nuages. Leurs bases rondes se sont éclaircies pour devenir vertes et grises. Le soleil se lève.

Faruk a arqué un sourcil. Puis il s'est élancé vers le mur du canyon. "Là-haut ! Vite ! Nous n'avons pas beaucoup de temps."

Emily s'est précipitée à sa suite. "Où allons-nous ?"

Il n'a pas répondu. Il a trouvé un chemin piétonnier dans la roche et a grimpé le long du mur jusqu'au sommet. Emily s'est frayé un chemin jusqu'à lui. Elle a repris son souffle au sommet et a regardé autour d'elle. C'est alors qu'elle a compris ce qu'il voulait dire.

Au loin, le nuage de poussière soulevé par la colonne ursidréenne s'élève contre les couleurs de l'aube. Des personnes individuelles chevauchent les énormes machines de siège et les canons de combat. Les armures des soldats scintillent au soleil, et les moteurs des engins grondent sur la terre.

Emily reprend son souffle. "Nous arrivons juste à temps pour les intercepter avant qu'ils ne franchissent la frontière".

"Pas tout à fait, répond Faruk. "Regarde".

Emily s'est retournée, et son cœur s'est enfoncé dans ses chaussures. Ses genoux ont failli lâcher. Une autre colonne, tout aussi grande, est arrivée dans l'autre sens, à travers les plaines de Felsite. Elle ne soulevait pas de nuage de poussière comme la colonne ursidréenne, mais des centaines de guerriers s'agglutinaient dans ses rangs. Le soleil éclairait les crinières de cheveux autour de leurs têtes, et leurs armes reflétaient les couleurs pastel du ciel. Ils étaient armés pour le combat.

"Maintenant, qu'allons-nous faire ?" Les mots sont morts sur ses lèvres. Il n'y avait rien qu'elle ou quelqu'un d'autre puisse faire pour arrêter cela. Ils ne pouvaient que rester debout et regarder l'espoir d'Angondra pour l'avenir mourir sur le champ de bataille avec le dernier de ses hommes. Faruk lui a pris la main, mais la confiance chaleureuse qu'il lui accordait toujours ne l'a pas enflammée comme elle le faisait d'habitude. Lui aussi avait perdu tout espoir. Ils rentreraient chez eux, dans un endroit en train de mourir.

Les deux colonnes se sont approchées du canyon. Seule la rivière solitaire séparait les deux armées, et les guerriers pouvaient l'enjamber sans problème. Il ne leur offrait aucun obstacle. Emily pouvait distinguer un grand Ursidrean au sommet du plus gros canon de combat en tête de la colonne. C'était Donen. Il tenait une arme longue appuyée contre sa hanche, pointée en l'air, et il scrutait son environnement avec des yeux étincelants. Il lance un regard à l'ennemi qui s'approche de l'autre côté de la rivière.

Les Felsites n'avaient pas de grosses machines de combat comme les Ursidréens. Ils ont monté des plates-formes près du sol. Les plates-formes glissent sur le terrain sans le moindre accroc, mais Emily ne peut pas voir ce qui les anime. Un grand Felsite se tenait sur la première plateforme, mais contrairement à Donen, il n'était pas armé. Une femme humaine aux courts cheveux noirs s'est assise sur la plateforme à ses pieds.

Les deux colonnes se sont arrêtées au bord du canyon et se sont fait face par-dessus la brèche. C'était la seule chance qu'Emily aurait jamais d'arrêter l'inévitable bataille. Elle a commencé à avancer, et Faruk l'a suivie. Donen est descendu de son engin, son arme toujours à la main, et Emily s'est mise à marcher plus vite. Elle n'a pas pu faire tout ce chemin pour rien.

Le grand Felsite est descendu lui aussi, et la femme s'est levée à ses côtés. Il fait face à Donen de l'autre côté du canyon. Ils se lancent des regards d'une hostilité réciproque. Emily s'est mise à courir. Elle se dirigea directement vers Donen, mais avant qu'elle n'arrive près de lui, il se laissa tomber dans un autre chemin invisible qui descendait jusqu'au bord de l'eau. Le felsite et son compagnon humain ont fait la même chose. Emily a dévalé la paroi de la falaise aussi vite qu'elle le pouvait sans faire une chute mortelle. À tout prix, elle devait empêcher ces hommes de se battre.

Elle a trébuché et glissé sur les derniers mètres. Ses pieds roulaient sur les pierres dans sa hâte de rattraper les deux hommes. Sous ses yeux, Donen s'est approché à grands pas du Felsite, son gros pistolet prêt à l'emploi. Emily s'est précipitée en avant, la main tendue, pour les arrêter. Les pas de Faruk résonnent sur les murs. Il était juste derrière elle, mais ils sont arrivés trop tard. Les deux hommes se sont affrontés sans que rien au monde ne les empêche de se battre jusqu'à la mort.

Ils se sont retrouvés face à face dans quelques centimètres d'eau. Puis, d'un seul coup, Donen a jeté son arme par terre. Son pied a éclaboussé la rivière, et le Felsite s'est précipité vers lui depuis l'autre côté. Les deux hommes ont jeté leurs bras l'un autour de l'autre et se sont tenus dans une étreinte écrasante.

Emily s'est arrêtée net et les a regardés fixement. Elle n'en croyait pas ses yeux. La femme aux cheveux noirs a porté la main sur son cœur, et un sourire radieux s'est répandu sur son visage. Elle rayonne sur Emily, puis sur les deux hommes qui se tiennent debout jusqu'aux chevilles dans la rivière.

Donen a repoussé le Felsite. "Tu es venu".

La crinière du Felsite s'est agitée au soleil lorsqu'il a hoché la tête. "Comment pourrais-je ne pas venir ? Comment pourrais-je ignorer ton message ?"

Donen a pris deux poignées de la chemise de l'homme et l'a secoué. "Je n'osais pas espérer que tu viendrais. Cela semblait trop impossible."

"Rien n'est impossible". La voix du Felsite résonne sur les murs. "Tant que nous le voulons, rien ne nous empêchera de l'obtenir".

Emily ne pouvait pas les quitter des yeux. À ses côtés, Faruk laisse échapper son souffle. "C'est la paix ! Ils font la paix."

De l'autre côté d'Emily, Chris et Turk se sont jetés les bras l'un autour de l'autre. Des larmes brillent sur les joues de Chris. Emily regarde autour d'elle, émerveillée. La femme aux cheveux noirs s'est approchée d'eux. Elle saisit les deux mains de Chris. "Je pensais que je ne te reverrais plus jamais. Qui sont tes amis ?"

Chris fait un signe de la main. "Voici Emily Allen. Elle était sur le même navire romarien que moi, mais elle a atterri en territoire ursidrien." Elle se tourne vers Emily. "Voici Carmen. C'est la compagne de Renier."

Carmen a serré la main molle d'Emily. "C'est un plaisir de vous rencontrer. Tu dois connaître mon amie Aria".

Emily a hoché la tête. "I....Elle a été très gentille avec moi".

"Nous avons fait la course ici parce que nous pensions que vos factions allaient encore se faire la guerre", a dit Chris à Carmen.

Carmen a secoué la tête, mais elle ne pouvait pas s'empêcher de sourire. "Lorsque Renier a reçu le message de Donen, nous étions impatients de venir. C'est le plus beau jour de notre vie. Nous avons voulu la paix entre nos factions, et maintenant nous l'avons."

Donen a lâché la chemise de Renier. "Nous ne pouvons plus nous permettre de nous battre. Nous devons à notre peuple et aux générations à venir de travailler ensemble."

Renier acquiesce. "Il y a tellement de choses à faire pour reconstruire notre planète. La guerre coûte trop cher en vies et en ressources détruites qui pourraient être utilisées à meilleur escient."

"J'ai honte de ma faction", lui a dit Donen. "Nous avons été stupides de vous envahir dès le départ. Tu avais tout à fait le droit de me tuer quand tu en avais l'occasion."

Renier a éclaté d'un grand rire tonitruant. "Si je l'avais fait, nous n'aurions plus jamais d'espoir de paix. Nos factions se seraient battues jusqu'à ce qu'elles soient toutes deux détruites. Tu le sais bien."

Donen acquiesce. "J'ai quatre fils, et je les forme tous à respecter la paix et à travailler à l'harmonie avec les autres factions. C'est la seule façon pour nous de survivre."

Faruk les observe avec des yeux émerveillés. "Ils sont déjà au courant. Tout le monde le sait déjà".

"Est-il possible que nos factions puissent vivre en paix et en harmonie ?" Emily a demandé. "Est-ce vraiment possible ?"

"Nous ne voulons rien d'autre", lui a dit Carmen. "Nous n'avons jamais rien voulu d'autre".

"Nous le faisons tous", a ajouté Turk.

Emily a fait un signe de la main à Donen et Renier. "Va les voir, Turk. Négocie avec eux au nom des Lycaons. Tu es le frère jumeau de Caleb. Tu es un alpha au même titre que lui. Si les Lycaons, les Felsites et les Ursidréens font la paix ici aujourd'hui, cela fera trois factions unies. Nous pouvons utiliser ce lien pour répandre la paix dans le reste d'Angondra."

Turk regarde Renier et Donen en pleine conversation. Puis il a hoché la tête et s'est avancé. Les autres le nain, mais il s'est approché d'eux sans crainte, et ils l'ont accueilli dans leur conversation. Les trois hommes penchent la tête l'un vers l'autre en signe de sérieux.

Emily regardait la scène avec un cœur qui battait la chamade. Elle pouvait rire, pleurer et chanter en même temps à cette vue. Ce moment comptait plus pour elle que d'assister à une bataille de destruction mutuelle.

Carmen sourit et se tourne à nouveau vers Chris. "Comment vas-tu depuis la dernière fois que je t'ai vu ?"

"Je vais très bien", a répondu Chris. "J'ai vécu dans la forêt avec Turk, et maintenant nous retournons dans son village natal pour que je puisse avoir mon bébé près de sa famille."

Carmen l'a serrée dans ses bras. "Félicitations".

"Et toi ?" Chris a demandé. "Comment vas-tu ?"

"Je ne suis pas encore enceinte", a répondu Carmen. "Mais avec la guerre et toutes les responsabilités de Renier, ce n'est pas une surprise".

Chris fronce les sourcils. "Pourquoi pas ?"

"Les Felsites peuvent contrôler leur propre reproduction", a répondu Carmen. "Les deux sexes peuvent déterminer consciemment le moment où ils deviennent reproductivement viables. Peux-tu imaginer cela ? L'un ou l'autre des partenaires peut empêcher un accouplement de produire une descendance."

Les yeux de Chris se sont ouverts. "Vraiment ?"

Carmen rit. "C'est plutôt pratique, n'est-ce pas ? J'aurais aimé connaître cela sur Terre." Elle est redevenue sérieuse. "Ne te méprends pas. Renier veut des enfants autant que n'importe qui et il ne l'empêche pas consciemment. Mais quelque chose dans son corps l'empêche de le faire parce qu'il est tellement préoccupé par ses devoirs d'Alpha."

Chris acquiesce. "C'est logique. Turk dit qu'il ne voudrait pas être Alpha pour quoi que ce soit."

Emily a pointé son menton en direction des hommes. "Il pourrait être Alpha avant que tu t'en rendes compte, vu la façon dont il va".

Plus ils parlaient, plus les hommes s'animaient. "De quoi penses-tu qu'ils parlent ?" demande Faruk.

À ce moment-là, Donen a fait signe à Faruk de les rejoindre. Emily lui a touché le bras. "On dirait que tu es sur le point de le découvrir".

# Chapitre 16

Les hommes se sont séparés, et Faruk et Turk sont repartis vers l'endroit où Emily et Chris parlaient avec Carmen. Carmen est retournée vers la colonne de Felsite. "Je ferais mieux d'y aller. C'était vraiment bien de te revoir".

"Quand est-ce qu'on te reverra ?" Chris a demandé.

Carmen a souri et tendu la main, mais à ce moment-là, son pied a roulé sur une pierre du lit de la rivière. Elle a éclaboussé l'eau et elle a failli basculer en arrière. Elle tend les mains pour se stabiliser, mais au même moment, un jet d'eau jaillit de la rivière et envoie une pluie d'embruns sur le groupe.

Emily a levé les mains devant son visage, mais avant qu'elle ne puisse fermer les yeux, elle a regardé avec incrédulité une ligne de silhouettes ombrageuses qui émergeaient de la mousse. Ils ont chevauché la vague hors de l'eau peu profonde et se sont tenus dégoulinants devant les spectateurs stupéfaits.

Donen, Renier et Turk les ont également regardés avec étonnement. Un noir d'encre les recouvrait de la tête aux pieds, et de l'eau coulait le long de leurs corps. Deux yeux brillants sortent de chaque visage, mais Emily ne peut pas distinguer de bras, de jambes ou d'autres parties du corps.

L'eau s'est retirée dans son lit. Emily regarde fixement les pieds des créatures. Il n'y avait pas assez d'eau dans ce lit pour qu'un têtard puisse s'y cacher, et encore moins un ...... de taille normale. Ils se sont matérialisés à partir des embruns et ont pris toutes leurs formes sur la terre ferme.

Puis, sous ses yeux, le noir qui recouvrait leurs corps a fondu et a disparu lui aussi dans l'eau. En dessous, des corps parfaitement formés sont apparus avec deux bras, deux jambes, deux oreilles, et des yeux, un nez et une bouche au milieu de leur visage. Une toile de peau reliait leurs doigts et leurs orteils nus, et leur peau brillait d'écailles irisées, mais à part cela, tout le monde pouvait dire qu'ils venaient de la même race que les autres Angondrans.

L'un d'eux est sorti de l'eau et a examiné les trois femmes, la tête sur le côté. Il a fait sortir l'eau de ses yeux en clignant des yeux. D'épaisses cordes de cheveux pendent dans son dos. Il se tourne vers les quatre hommes qui se tiennent encore debout, immobiles, à quelque distance du lit de la rivière. Il s'incline. "Nous nous rencontrons à nouveau, Alpha Renier".

Renier se raidit. "Qu'est-ce qui t'amène ici, Fritz ?"

Fritz a étudié les autres Alphas. "Des rumeurs de guerre m'amènent ici, Alpha Renier. Des rumeurs de guerre m'amènent ici".

"Nos factions étaient en guerre", lui a dit Renier. "Mais ce n'est pas le cas maintenant. Nous venons ici pour discuter de la paix entre nos factions."

Fritz a de nouveau cligné des yeux. Sa voix s'est élevée et a résonné dans le canyon. "La paix, c'est ça ? Paix !"

Turk montra les dents. "C'est si difficile à croire pour toi ? Les Aqinas n'ont jamais beaucoup profité de la paix."

Fritz penche la tête dans l'autre sens. "Les Aqinas désirent la paix plus que n'importe quelle autre faction. Nous avons fait plus que quiconque pour promouvoir la paix. Tu le sais, Alpha Rufus".

Turk laissa échapper un grognement menaçant, et les poils se dressèrent sur sa nuque. "Je ne suis pas Rufus. Je suis Turk, le fils de Rufus, et tu ne nous feras plus jamais tourner en bourrique, mon frère et moi. Nous connaissons les Aqinas et leurs astuces. Tu t'étonnes que nous nous réunissions ici pour négocier la paix sans te consulter, et maintenant tu sais pourquoi. Nous ne laisserons pas les Aqinas saper la paix que nous avons gagnée ici aujourd'hui."

Faruk a posé une main sur son bras. "Laisse-le regarder. C'est tout ce qu'il peut faire. Qu'il regarde et qu'il nous voie unis. Alors, qu'il retourne à son point d'eau et qu'il nous laisse tranquilles."

Fritz a souri. C'était un sourire innocent, mais il n'a pas atténué la tension. Au contraire, cela n'a fait qu'empirer les choses. "Je ne porterai jamais atteinte à ta paix. Non, jamais. Les Aqinas veulent la paix. C'est tout ce que nous avons toujours voulu."

Turk a reniflé et s'est détourné. "Oui, c'est vrai."

Donen a dit quelque chose sous sa respiration à Turk.

Fritz fait un signe de la main à la file d'Aqinas derrière lui. Ils ne bougeaient pas du lit de la rivière, mais gardaient leurs pieds nus en contact avec l'eau à tout moment. Chris murmure doucement aux autres pour que personne d'autre ne l'entende. "Qu'est-ce qu'ils se communiquent à travers l'eau ?"

En réponse à ses paroles, Fritz s'est tourné vers les femmes. "Je viens te chercher, toi et tes semblables. Je viens pour communiquer avec toi."

Chris fronce les sourcils. "Qu'est-ce que tu pourrais avoir à nous dire ?"

Il fit signe à ses compagnons et, pour la première fois, Emily remarqua une silhouette nettement plus petite que les autres. Les mêmes cheveux en corde et la peau chatoyante permettaient à la silhouette de se fondre dans la foule, mais plus ils la regardaient, plus ils remarquaient qu'elle n'était pas du tout comme les autres.

La silhouette est sortie de la ligne et s'est hissée sur la terre ferme. Il a cligné des yeux de la même façon que Fritz, mais quelque chose dans son visage a fait reculer Emily. Ce n'était pas du tout Aqinas. Il était humain, et ses hanches étaient trop courbées pour être celles d'un homme. Ses épaules étaient fines et galbées, et ses cheveux étaient tordus en mèches épaisses plutôt qu'en cordes solides individuelles comme les autres. C'était une femme.

Elle s'est avancée vers le groupe, et Emily a fait un pas en arrière. L'étrange femme s'est arrêtée et les a regardés d'un air absent. Elle scrute leurs visages l'un après l'autre avant de s'arrêter devant Chris. "Je suis venu te parler".

Chris la regarde fixement, la bouche ouverte. Puis elle a poussé un grand soupir. "Sasha !"

Emily et Carmen échangent un regard, mais Chris se précipite vers l'étrange femme et lui saisit les deux épaules. Elle n'a pas pris la femme dans ses bras, mais elle s'est arrêtée juste avant de le faire. "Connais-tu cette femme, Chris ?"

Chris ne s'est pas retourné. Elle a regardé le visage de Sasha avec étonnement. "Je ne l'ai rencontrée qu'une fois, mais je pensais qu'elle était morte. Que t'est-il arrivé, Sasha ?"

Sasha regarde autour d'elle. L'Aqinas se tenait parfaitement immobile dans l'eau derrière elle. Seul Fritz a montré un signe d'écoute de leur conversation. "Je pensais que j'étais mort. Je ne me souviens pas exactement de ce qui s'est passé....."

"La Romarie t'a étranglée", lui a dit Chris. "C'est arrivé juste devant moi. L'un d'entre eux a été écrasé par un débris de l'accident. Te souviens-tu de l'accident ?"

Sasha a cligné des yeux. "Le crash...."

Chris acquiesce. "Tu m'as parlé des Romarie, mais je ne t'ai pas cru jusqu'à ce que tu me montres l'un d'entre eux dans l'épave. Tu m'as dit de ne pas trop m'en approcher, mais quand le Lycaon est apparu pour nous aider, tu as été distrait et il t'a attrapé. Tu ne te souviens pas ?"

Sasha regarde autour d'elle. "Je ne me souviens pas de ça".

"Quelle est la dernière chose dont tu te souviens ?" Chris a demandé.

Sasha a hésité. "Il pleuvait".

"Il a plu la nuit où tu as été tué....." Elle a fait une pause. "Je veux dire, après que tu aies été étranglée. J'ai vérifié ton pouls, mais tu ne devais pas être morte. Tu ne sais pas à quel point j'ai été bouleversé de te perdre".

Sasha la fixe du regard, mais elle ne réagit pas. C'est Fritz qui a expliqué. "Elle a été emportée par la pluie dans la rivière. C'est là que nous l'avons trouvée."

Chris fronce les sourcils. "Je ne comprends pas comment le corps d'une femme peut se retrouver dans une rivière sous la pluie, mais ça n'a pas d'importance. Tu es en vie. Je n'arrive toujours pas à y croire."

Emily s'est avancée. "Tu reviens avec nous ? C'est pour cela que tu es venu ?"

"Je ne reviendrai pas avec toi", a répondu Sasha. "Ma maison est chez les Aqinas. Fritz...." Elle a fait un signe de la main par-dessus son épaule.

Chris acquiesce. "Je comprends. Je suppose que l'Alpha d'Aqinas a un compagnon humain comme les autres."

Sasha a souri pour la première fois. "Tu ne peux pas comprendre à quel point c'est confortable et chaud avec les Aqinas. C'est tellement confortable et chaleureux....."

Chris et Emily se sont regardés l'un l'autre. "Que peux-tu nous dire d'autre sur les Aqinas ?"

"Il n'y a pas de questions là-dessus", leur a dit Sasha. "Il n'y a pas de peur ni de questionnement, et tout le monde t'embrasse avec chaleur et amour. Je n'ai jamais rien ressenti de tel sur Terre".

Chris soupire. "Je suis content que tu sois heureux là-bas. C'est ce que tu es venu nous dire ?"

Sasha a secoué la tête, mais Fritz a repris la parole. "Il y en a un autre".

"Un autre quoi ?" Chris a demandé.

"Une autre femme humaine", répond Fritz. "Elle est venue nous voir il y a quatre jours".

"Comment est-elle venue à toi ?" Emily a demandé. "Est-elle tombée du vaisseau Romarie comme moi ?"

"Elle est passée par la rivière, comme Sasha", a-t-il répondu. "Je ne sais pas comment elle s'est retrouvée dans l'eau, mais nous l'avons trouvée à l'embouchure de la rivière Borlass". Il a fait un signe de la main en direction du sud."

Faruk fronce les sourcils. "La rivière Borlass ? C'est à plus de cinq cents kilomètres d'ici."

Fritz a haussé les épaules. "Ce n'est rien pour la rivière. Cette femme est connue de toi, et elle ne pourra pas se reposer tant que son peuple ne saura pas où elle se trouve. Elle rêve tous les jours et toutes les nuits que son peuple a peur qu'il lui soit arrivé quelque chose. Elle veut qu'ils sachent qu'elle est en sécurité."

Un frisson a traversé l'être d'Emily. "A quoi ressemble cette femme ?"

Il a porté sa main à sa poitrine. "Elle fait à peu près cette taille. Elle a des petits cheveux, comme ça, autour de la tête en petites boucles noires."

"Frieda !" Emily a pleuré. "Où est-elle ? Est-elle en sécurité ? Est-ce qu'elle va bien ?"

Fritz a hoché la tête et a souri. "Je vois que vous êtes de son peuple. Elle nous a envoyés ici pour te dire qu'elle est en sécurité et heureuse. Elle est avec nous."

Emily a fait quelques pas vers lui, mais Chris l'a retenue. "Quand pourrons-nous la récupérer ? Si elle s'inquiète jour et nuit, nous devrions la faire revenir."

Il a secoué la tête. "Elle s'inquiète seulement pour toi. Elle craint que tu t'inquiètes pour elle. Elle est en sécurité et elle restera avec nous dans l'eau."

Emily a plissé les yeux en le regardant. "Comment puis-je savoir qu'elle veut vraiment rester avec toi ?"

"Nous ne la garderions pas si elle ne voulait pas rester", répond Fritz. "Comme l'a dit Sasha, c'est un endroit très chaud et confortable dans l'eau avec les Aqinas. N'importe qui voudrait rester."

Chris lui a serré le bras. "Je pense que nous pouvons le croire. Les Aqinas sont des Angondrans comme les autres factions. Ils apprécient l'hospitalité et l'attention portée aux étrangers. Ils ne garderaient pas Frieda contre sa volonté."

"Comment est-elle arrivée à cinq cents kilomètres d'ici alors ?". Emily a demandé.

"La rivière Borlass traverse le territoire d'Avitras jusqu'à la mer", lui dit Faruk. "Elle a son delta au cœur du territoire d'Aqinas. Si Frieda était tombée de ce balcon dans la rivière, ou dans l'un de ses affluents, elle aurait pu être emportée dans l'eau jusqu'au territoire d'Aqinas."

Sasha a hoché la tête et Fritz a souri, mais Emily n'était pas satisfaite. "Comment puis-je voir ma sœur par moi-même si je veux entendre cela de sa bouche ?".

"Tu es toujours le bienvenu sur notre territoire pour la voir". Fritz a fait un signe de la main en direction de l'entreprise. "N'importe lequel d'entre vous sera le bienvenu".

Turk a de nouveau grogné sous sa respiration. Chris se tourne vers Emily. "Qu'en dis-tu ? Veux-tu aller la voir ?"

Emily secoue la tête. "Pas maintenant. Une autre fois peut-être."

Chris acquiesce et prend la main de Sasha. "Tu es sûre que tu ne veux pas venir avec nous ? Il y a d'autres femmes humaines dans nos factions. Tu n'aurais pas à être seule avec les Aqinas."

Sasha secoue la tête, mais ses yeux dérivent déjà vers Fritz et la rivière. "Personne n'est seul parmi les Aqinas. Tout le monde connaît tes pensées et tes sentiments, et tout le monde t'aime d'un amour pur et ouvert. Ça n'a rien à voir avec la façon dont les gens vivent en dehors de l'eau."

Chris l'a laissée partir et s'est détourné. "Je suppose que personne ne peut le comprendre s'il n'en a pas fait l'expérience lui-même".

Sasha a acquiescé et a fait un pas en arrière. Ses pieds ont touché l'eau, et la faible lumière de la compréhension humaine s'est évaporée de son visage. Elle reprend sa place dans la lignée des Aqinas et fait à nouveau partie d'eux. Les épaules de Chris se sont affaissées, et elle et Emily se sont éloignées de l'eau.

La tache noire ondula hors de l'eau pour envelopper les Aqinas, et dans un autre instant, ils disparurent dans les turbulences écumantes de la rivière.

# Chapitre 17

La colonne ursidréenne traverse les steppes rocailleuses qui mènent à leur propre territoire. Chris s'est arrêtée sur la crête et a posé sa main sur le bras d'Emily. "C'est ici que nous nous séparons".

Emily s'est arrêtée. "Tu dois partir ?"

Chris acquiesce. "C'est le dernier endroit où nous pouvons bifurquer pour entrer dans notre propre territoire, et nous sommes partis depuis trop longtemps déjà. Si nous attendons encore longtemps, je ne pourrai plus voyager du tout."

Emily lui a serré la main. "J'aimerais que tu n'aies pas à partir. Ces semaines que nous avons passées ensemble m'ont été si précieuses. Tu ne peux pas imaginer...." Elle s'est interrompue.

Chris l'a regardée dans les yeux. "Je ressens la même chose. Tu ne sais pas à quel point je te suis reconnaissant de nous avoir amenés ici."

Emily a jeté un coup d'œil autour d'elle. "Vraiment ? Je ne sais pas pourquoi tu me remercies de t'avoir traîné loin de ta famille pour arrêter une guerre qui n'allait jamais commencer."

Chris a secoué la tête. "Si tu ne l'avais pas fait, nos factions ne parleraient pas de paix en ce moment. Grâce à toi, nous passerons les cent prochaines années à travailler ensemble pour faire d'Angondra un meilleur endroit pour tout le monde. Je sais que Turk est lui aussi reconnaissant."

Emily a essayé de rire, mais elle a dû avaler la boule dans sa gorge juste pour parler. "Il dit qu'il ne veut pas être Alpha, mais maintenant il est sur le chemin du retour pour prendre en charge les négociations. Il sera plus alpha que Caleb."

Chris a souri. "C'est pour cela qu'il est reconnaissant. Il a toujours pensé qu'il était heureux tout seul dans les montagnes - avec moi, je veux dire. Mais aujourd'hui, il a un nouveau but. Il a plus d'espoir pour notre avenir, et il est inspiré pour mener notre peuple vers une nouvelle ère de paix. Je ne l'ai jamais vu comme ça auparavant. C'est une personne différente."

"Et toi ?" Emily a demandé. "Est-ce que tu vas être heureuse au village, en étant la femme de l'Alpha ?".

"J'aurai Marissa pour compatir", a répondu Chris. "Et j'aurai aussi le reste de ma famille. C'est pour toi que je m'inquiète."

"Moi ? Pourquoi ?" Emily a demandé.

"Tu retournes à Harbeiz", répond Chris. "Faruk sera tout aussi mêlé à la politique que Donen. Donen en fait son bras droit renégociant les frontières entre les trois factions. Tu ne le verras peut-être pas beaucoup, et il a toujours été malheureux en ville. Il aimait les montagnes autant que Turk aimait la forêt."

"Il n'aimait peut-être pas beaucoup la ville", a convenu Emily, "mais son cœur était toujours à la frontière. Aujourd'hui, la frontière a une autre signification. Cela ne veut pas dire guerre, conflit et destruction. Il est synonyme de coopération et d'amitié. Faruk est aussi enthousiaste pour l'avenir que le reste d'entre nous." Elle a ri. "Je suis aussi enthousiaste pour l'avenir que le reste d'entre nous".

"Penses-tu que tu reverras Frieda ?" Chris a demandé.

"Je ne sais pas", a répondu Emily. "Mais d'une certaine manière, je l'ai trouvée comme je le voulais. Je sais où elle est, et je sais qu'elle est heureuse et installée là-bas. Si j'ai vraiment besoin de la voir et de lui parler, je sais où la trouver."

"Se rendre sur le territoire d'Aqinas serait un voyage bien plus important que celui-ci", lui a dit Chris. "C'est beaucoup plus loin".

"Aller dans l'eau et découvrir comment vivent les Aqinas serait un défi bien plus grand que de s'y rendre", a répondu Emily. "Je ne comprends toujours pas la moitié de ce que Fritz et Sasha nous ont raconté".

Chris acquiesce. "On dirait que l'eau dissout toutes les barrières entre les gens que nous considérons comme acquises. Ils savent tout ce que les autres pensent et ressentent, et il n'y a rien qui sépare qui que ce soit des autres." Elle a frissonné. "Ça a l'air effrayant".

Emily a haussé les épaules. "Sasha a dit que c'était merveilleux, et ils ont beaucoup insisté pour que Frieda soit heureuse là-bas. Peut-être qu'une fois que tu t'y es habitué, c'est mieux que d'être séparés comme nous le sommes. On ne se sentirait pas aussi seul, de toute façon."

Chris regarde l'horizon. "Je l'aime tel qu'il est. Si nous n'étions pas séparés, se réunir avec d'autres personnes ne serait pas si précieux et merveilleux."

Emily lui a touché le bras. "Tu veux dire comme toi et Turk ? Je comprends ce que tu veux dire."

"Et toi aussi", répond Chris. "Je ne renoncerais pour rien au monde à la connexion entre toi et moi".

Emily l'a serrée dans ses bras. "Moi aussi".

Chris a fait un pas en arrière. "Promets-moi que nous nous reverrons. Dans quelques années, quand tes enfants seront plus grands, tu viendras me trouver, n'est-ce pas ?".

Emily a posé sa main sur sa joue. "Je te le promets".

"Faruk viendra sur le territoire de Lycaon pour négocier la frontière avec Caleb et Turk", poursuit Chris. "Tu viendras avec lui, et nous passerons un peu de temps ensemble".

Emily a hoché la tête, mais elle ne pouvait pas parler avec la boule dans sa gorge. Ses yeux piquaient, mais elle ne pouvait pas s'empêcher de sourire.

"Je sais que Faruk prendra bien soin de toi". Chris s'est arrachée des bras d'Emily et s'est éloignée d'un pas.

Emily a levé la main. "Je t'aime. Je te verrai bientôt."

Turk a pris la main de Chris et ils se sont dirigés vers le bas de la colline. Ils ont fait un signe de la main au coin où le sentier s'enfonce dans les arbres, puis ils sont partis. Emily s'est retournée pour rejoindre la colonne ursidréenne et a trouvé Faruk debout derrière elle. Elle lui a pris la main et a commencé à marcher.

Il est tombé à ses côtés. "Nous pourrions aller avec eux. Nous pourrions passer un peu de temps au village avec elle et Caleb."

Emily secoue la tête. "Rentrons à la maison. Nous sommes partis depuis trop longtemps déjà."

**Fin**

Milton Keynes UK
Ingram Content Group UK Ltd.
UKHW020727290923
429627UK00016B/886